'Dwyn i gof a dyna i gyd'

ATGOFION HEDD BLEDDYN
LLANBRYN-MAIR

GWASG Y BWTHYN

Gwasg y Bwthyn
2013

ISBN 978-1-907424-43-4

Cyhoeddwyd gyda chymorth ariannol
Cyngor Llyfrau Cymru

Cyhoeddwyd ac argraffwyd gan
Wasg y Bwthyn, Caernarfon

CYNNWYS

Cyflwyniad

Bu fy nhaid yn byw gyda ni fel teulu ond bu farw pan oeddwn yn wyth oed. Arferai adrodd hanesion difyr am ei blentyndod yng Nghwm Maethlon – cwm sy'n ymestyn o Bennal i gyrion Tywyn ym Meirionnydd, ac am ei brofiadau fel amaethwr yn Llanfihangel-y-Pennant. Gofid ydyw na thalais fwy o sylw i'r hanesion hynny.

O gofio hynny, penderfynais gofnodi rhai atgofion o'm bywyd i fel eu bod ar gael i'm hwyrion a'm hwyresau.

Digwyddais sôn am hyn wrth Geraint Lloyd Owen ac meddai Geraint, 'Gad i ni gael golwg arnynt yng Ngwasg y Bwthyn', a dyna a wnes.

Hyderaf yn fawr y bydd o ddiddordeb i'r darllenwyr, ond y mae un peth yn sicr: bu mwy o newid yn ystod fy nghenhedlaeth i na fawr yr un genhedlaeth arall ac mae'n bwysig cofnodi a chyfleu hyn i genhedlaeth ein hwyrion.

Mae'r teitl 'Dwyn i gof a dyna i gyd' wedi aros gyda mi ers llawer blwyddyn. Gerallt oedd wedi gosod tasg mewn ymryson am ryw ferch ifanc ddeniadol, a daeth y diweddar Barchedig Gwyn Evans ag englyn gyda'r llinell olaf 'Dwyn i gof a dyna i gyd'.

Diolch i Wasg y Bwthyn am eu cymorth, eu gofal a'u golygu; i Lleu am ei gymorth gyda'r lluniau, ac i'r teulu a'r holl ffrindiau a roddodd i mi fywyd sy'n rhoi pleser wrth dremio'n ôl tros fy ysgwydd i ail-fyw rhai pethau.

Cyflwynaf y llyfr i'm hwyrion: Lleu, Rhun, Aur, Non ac Efa, gan mai iddynt hwy yr oedd hwn i fod yn y lle cyntaf.

I. Fy Rhieni

Roedd fy mam a'm tad yn dod o blwyf Llanfihangel-y-Pennant yn sir Feirionnydd – fy mam, Laura Anne Owen, a rhoi iddi ei henw morwynol, yn ferch fferm Pen y Meini: fferm yn terfynu â Chastell y Bere, nid nepell o Dy'n-y-ddôl, sef cartref Mari Jones a gerddodd i'r Bala am ei Beibl.

Ganwyd Mam yn 1904, yr ieuengaf o bedwar o blant William ac Ellen Owen. Bu ei mam farw bron ar yr adeg yr aeth fy mam i'r Coleg Normal ym Mangor ar ddechrau'r dauddegau i'w hyfforddi'n athrawes, a bu'n dysgu mewn ysgolion yn Harlech, Llanwrthwl, Llanegryn ac Abergynolwyn cyn iddi briodi â'm tad yn Ebrill 1935 a chartrefu yn Abergynolwyn. Ganwyd iddynt fab yn Chwefror 1936 fu farw pan oedd yn fâban, ac fe'm ganwyd innau yn Nhachwedd 1938, ar ddydd y Cadoediad. Oherwydd hynny, penderfynwyd rhoi i mi 'Hedd' yn enw. Mynnai fy nhad na chafodd fyth wedyn ddau funud o dawelwch.

Mab i chwarelwr, Henry Williams, a'i wraig, Ellen, ym mhentref Abergynolwyn, Meirionnydd, oedd fy nhad ac fe'i ganwyd ym 1900; yr ieuengaf o bump o blant. Bu ei dad farw yn ei bedwardegau o glwyf llwch y garreg las. Roedd yr enw Bleddyn yn mynd yn ôl ymhell iawn yn y teulu ac un mab ym mhob cenhedlaeth yn dwyn yr enw. Mae'n sicr nad oedd fy nhaid a nain yn deall llawer o Saesneg yn y cyfnod hwnnw ond oherwydd Seisnigrwydd y cyfnod, bu iddynt enwi fy nhad yn Idris Baldwin Williams. Mae'n debyg iddynt ddewis enw Saesneg a edrychai, neu a swniai'n debyg i Bleddyn. Roedd hyn yn ofid i'm tad ac wedi i mi gael fy ngeni, daeth yr enw Bleddyn yn ôl i'r teulu.

Oddi ar ei blentyndod, meddai fy nhad ar ddawn arbennig i dynnu llun, ac yn 1988, adeg canmlwyddiant Ysgol Abergynolwyn, syndod i mi oedd gweld yno lun a wnaeth pan oedd yn blentyn yn yr ysgol tua 1910. Credai fy nhad mai rhwystredigaeth y ddawn hon a barodd iddo droi at lunio cerddi. Dywedai ei fod yn defnyddio geiriau i greu lluniau yn hytrach na chyda brwsh a phaent.

Yr unig agoriad i hogyn pedair ar ddeg oed yn Abergynolwyn yn y cyfnod hwnnw oedd wyneb y graig yn chwarel Bryneglwys, a dyna fu tynged fy nhad a'i frodyr; yn arbennig felly gan fod fy nain yn wraig weddw ar y pryd.

Yno y bu fy nhad ar wyneb y graig ac yn ddiweddarach yn y cwt weindio hyd nes iddo symud i Lanbryn-mair yn 1938.

Enillodd ei gadair gyntaf yn Eisteddfod Llanegryn yn 1921, a chyhoeddwyd y gerdd yn *Y Dydd*, papur ardal Dolgellau, a dyna gychwyn ar gyhoeddi ei gerddi'n weddol reolaidd yn y papur hwnnw. Yna, gofynnodd y golygydd iddo ysgrifennu colofn wythnosol i'r papur o dan y ffugenw Gohebydd y Glannau.

Roedd paratoi'r golofn, llunio cerddi, cystadlu mewn eisteddfodau a gweithio oriau hir ar wyneb y graig yn gryn ymdrech ac yn 1928, daeth swydd yn rhydd yn y chwarel i edrych ar ôl y 'Drum House' fel y'i gelwid. Roedd enw llawer gwell arno yn chwareli'r gogledd sef y 'Cwt Weindio'. Cafodd y swydd, a'i waith yno oedd weindio'r llechi o'r chwarel ac yna eu gollwng i lawr yr inclên i gwrdd â'r trên bach yn y pentref, sef trên bach Tal-y-llyn heddiw. Wel dyna newid byd, digon o amser rhwng galwadau yn y cwt weindio i baratoi'r golofn a barddoni, ond roedd gormod o amser ar ei ddwylo a rhyw ddiwrnod daeth yr hen ysfa dynnu llun heibio, a meddyliodd pe bai'n newid siâp rhyw garreg yn wal y cwt y gwnâi ben dyn neu efallai ben ceffyl. A dyna ddechrau'r cerfio. O dipyn i beth, daeth wal y cwt yn gerfiadau i gyd.

Perchennog y chwarel oedd Syr Haydn Jones, Aelod Seneddol Meirionnydd ar y pryd, ac fe ddeuai ar un ymweliad blynyddol â'r chwarel yn ôl y sôn. Yn 1933, fe ddaeth ar ei ymweliad blynyddol a rhyfeddu at y cerfiadau ar wal y cwt weindio, ac er mawr syndod i nhad, fe ddychwelodd y diwrnod canlynol a chynnig rhoi mainc yn y cwt fel bod fy nhad yn cerfio beddfeini yno yn hytrach na cherfio'r wal, ac fe gâi fonws am bob cofeb. Dyna gychwyn gwneud beddfeini yn ein teulu ni.

Un gŵr a ddôi'n rheolaidd i brynu'r beddfeini oedd T. R. Jones a oedd yn rhedeg busnes yn Llanbryn-mair. Yn 1938, ar ymweliad, dywedodd mai hwnnw fyddai'r tro olaf y deuai gan ei fod am ymddeol a gwerthu'r busnes. Y Sul canlynol, benthycodd fy nhad foto-beic gan ei frawd ac aeth draw gyda Mam i Lanbryn-mair i weld beth oedd yno. Cant a hanner o bunnoedd oedd pris T.R. am y busnes ond can punt yn unig oedd gan fy rhieni. Cytunwyd i'w brynu a thalu'r hanner cant a oedd yn weddill pan fyddai'r arian ganddynt. Daethant i Lanbryn-mair ym Medi 1938 ac fe

11

gyrhaeddais innau'r byd hwn ddeufis yn ddiweddarach. Rhoed i mi 'Hedd' yn enw. Enw a oedd efallai'n addas hefyd i un a fyddai'n treulio'i oes yn cerfio'r geiriau 'Hedd Perffaith Hedd' ac 'Mewn Hedd', ac ati, ar feddfeini!

Un o fanteision prynu beddfaen gan fy nhad oedd y byddech yn cael cwpled neu englyn beddargraff am ddim. Fe luniodd gannoedd, os nad miloedd, ohonynt.

Bu'n aelod o dîm Ymryson y Beirdd Maldwyn ar y radio am flynyddoedd pan oedd y Meuryn gwreiddiol a Sam Jones wrth y llyw. Daeth yn aelod o Orsedd Beirdd Ynys Prydain yn 1937 ym Machynlleth, a'i enw barddol oedd Idris ap Harri. Bu hefyd yn aelod brwd o Orsedd Talaith a Chadair Powys am flynyddoedd ac yn Dderwydd Gweinyddol yn nechrau'r chwedegau.

Un agwedd arall a oedd yn bwysig iddo oedd hyfforddi adroddwyr, a byddai llawer yn dod i'n cartref yn rheolaidd, amryw ohonynt yn enillwyr cenedlaethol.

Yn 1950 roedd yn aelod o'r ddirprwyaeth a aeth o'r Orsedd Genedlaethol i ailagor Gorsedd Llydaw a gaewyd yn ystod y rhyfel. Yna, yn 1951, aeth yr un criw yn ôl eto i Lydaw, gyda'u teuluoedd, i Eisteddfod a gynhaliwyd yno a Mrs Breese o Fallwyd yn rhoi'r gadair a wnaed gan y saer a'r crefftwr cadeiriau enwog o Ddinas Mawddwy, Glyn Rees. Aeth y gadair gyda ni yn y bws i Lydaw. Havard Gregory oedd yn trefnu'r daith ac ef hefyd oedd y cyfieithydd. Y fi, mae'n debyg, oedd yr ieuengaf ar y daith yn ddeuddeg oed, a gofynnwyd i mi adrodd darn yn Gymraeg oddi ar y maen llog yn Carnac. Cyflwynodd Derwydd yr Orsedd, M. Per Loisel, ddau lyfr a gyhoeddwyd ganddo mewn llawysgrif; un i'm tad, sef *Ar C'hembraeg hep poan* (Y Gymraeg heb boen) a'r llall i mi, sef

Lido ar Oursez (Llyfr dysgu Llydaweg). Maent yn dal yn fy meddiant.

Cofiaf yn dda am y daith at y meini yn Carnac mewn troliau ac ychen yn eu tynnu.

Yn 1961 cyhoeddodd fy nhad gyfrol o'i farddoniaeth, *Cerddi Idris ap Harri*, ac yn y flwyddyn honno hefyd rhoddodd ddeg ar hugain o'i gadeiriau i gapeli, eglwysi, neuaddau, ysgolion ac ati ym mro Dysynni, ei fro enedigol.

Bardd gwlad ydoedd – cymeriad naturiol heb fod addysg na choleg wedi cyfyngu ei orwelion. Carai ei Gymru a'i hiaith yn angerddol a gadawodd atgofion hyfryd, yn ogystal â llawer o gerddi, ar ei ôl.

Fel y cyfeiriais ato eisoes, cyfansoddodd lawer o feddargraffiadau, ac fe adawodd mewn amlen feddargraff iddo ef ei hun a Mam:

> Nid oes gell a'n deil bellach; – mae'r allwedd
> A'i mawr allu'n gryfach;
> Rôl terfyn hyd ein byd bach
> Bodolwn mewn byd elwach.

Yn ôl Roy Stephens a luniodd gasgliad o englynion beddargraff, anaml y ceir hunanfeddargraff sy'n cyfeirio at fywyd tragwyddol. Mae hwn yn un ohonynt.

Bu farw fy nhad yn 1973 – ei daro'n wael am un y bore, marw am ddau a minnau gydag ef. Yn 1978 bu Mam gyda ni yn Eisteddfod Sir yr Urdd ar y Sadwrn, a chefais hi fore Sul wedi marw yn ei chwsg. Ar y ddau achlysur roedd yna Geidwad i mi bwyso ar ei ysgwydd yn ogystal â theulu a ffrindiau. Roedd yna gysur hefyd am fy mod yn gwybod i ble yr oeddynt wedi mynd.

Ni allaf ddweud ai fi sydd yn meddwl nes ei fod yn dod

yn wir ynteu a yw'n ffaith, ond mae fy rhieni yn dal gyda mi yn aml iawn. Mae'r gred a adeiladwyd ynof ar seiliau cyfnod plentyndod ac ieuenctid, a thrwy brofiad, i mi'n hollol ddiamheuol.

Cyfeiriais at y ffaith fod fy nhad yn un o bump o blant – pedwar mab ac un ferch: William Henry, John Edward, Dafydd Caswallon, Laura Llaeronwen a'm tad, pob un wedi priodi ond y fi oedd yr unig blentyn.

I chwarel lechi Bryneglwys yr aeth pob un o'r bechgyn i weithio wedi gadael yr ysgol yn bedair ar ddeg oed ac mae'n debyg fod elfen o gicio yn erbyn y tresi'n bodoli yn y teulu'n gynnar iawn gan i chwech o ddynion, yn cynnwys Dafydd Caswallon a David Lewis Williams, gŵr Laura Llaeronwen, drefnu streic yn y chwarel tua diwedd dauddegau'r ganrif ddiwethaf ac o ganlyniad, cafodd y chwech eu diswyddo.

Aeth tri ohonynt, yn cynnwys David Lewis Williams, i weithio i'r ysbyty meddwl yn Nhalgarth a gadael y fro. Daeth yn bencampwr bowlio yn Nhalgarth i'r fath raddau nes ei fod yn bowlio yn nhîm Cymru, a chofiaf ei weld yn ennill y pen mewn gornest ryngwladol a rhoi imi'n blentyn y wefr o weld fy ewyrth yn ennill dros ei wlad. Ym myd bowlio, fel Dai Williams y câi ei adnabod ac fe geir sawl cyfeiriad ato yn y llyfr The Talgarth Bowlers. Mae'r bowls a ddefnyddiodd i ennill tros Gymru gennyf ac maent yn drysor mawr.

I ben arall Cymru yr aeth Dafydd Caswallon gan iddo geisio am swydd efo'r AA, er nad oedd ganddo unrhyw gymhwyster i drin ceir na pheiriannau, dim ond digon o hyder a'r gallu i roi argraff dda ohono'i hunan. Cafodd swydd i ofalu am ddarn yn y canolbarth a hynny ar feic bach. Ei gylch oedd o Abergynolwyn i Finffordd, trwy Gorris i Bontarddyfi, i Aberdyfi a Thywyn ac yn ôl i Abergynolwyn. Ymhen rhai blynyddoedd ceisiodd am swydd eto gyda'r AA yng Nglanconwy, symud i fyw i Gyffordd Llandudno a chael moto-beic a seicar. Yn nechrau'r pedwardegau, gwelodd hysbyseb am swydd yn adran y cofrestrydd yn Llandudno. Fe'i cafodd ac yno y bu'n dal sawl swydd hyd ei ymddeoliad. Mae'n syndod fel y gallodd rhywbeth fel streic ym Mryneglwys newid cwrs bywyd.

Yn chwarel Bryneglwys ac Aberllefenni y bu William Henry ac am flynyddoedd lawer bu'n hollti llechi to. Wedi i'r chwarel gau bu John Edward yn fasiwn cerrig gyda'r Cyngor Sir a bu ef yn byw yn Abergynolwyn gydol ei oes.

2. Plentyndod

Pan symudodd fy rhieni i Lanbryn-mair roedd yn rhaid cael rhywle i fyw, a chan fod tŷ fferm Clegyrddwr wedi'i rannu'n ddau aethant i fyw mewn darn ohono, a dyna lle y dechreuais fy mywyd yn Llanbryn-mair.

Ymhen rhyw flwyddyn a hanner roedd tŷ Brynmeini wedi'i adeiladu ac fe symudom yno. Bu'r cysylltiad rhyngom fel teulu a Robert Rowlands, Clegyrddwr, a'i briod yn un agos iawn wedi'r cyfnod o rannu eu cartref. Treuliais lawer o amser gyda hwy ar y fferm a'r enwau oedd gen i arnynt oedd Giaffar a Mam Mam. Meddyliwn fy mod yn glamp o ffarmwr pan fyddwn yno neu'n mynd gyda Giaffar i farchnad Dolgellau.

Yn fuan wedi i ni symud i Frynmeini cafodd fy mam gais i fynd i ddysgu am bythefnos i Ysgol Llanwrin a daeth Ceridwen, merch fferm Cwmpen Llydan, i edrych ar fy ôl pan oeddwn rhywle rhwng deunaw mis a dwy flwydd oed. Bu fy mam yn dysgu'n ddi-dor hyd ei hymddeoliad a Ceridwen, neu 'Mam bob dydd' fel y byddwn i'n ei galw, yn edrych ar fy ôl ac yn cyflawni rhai o ddyletswyddau'r tŷ. Pan oeddwn i tua deg oed priododd Ceridwen â Bob Evans, Brynglas, Llanfair Caereinion, a mynd yno i fyw. Erbyn hyn mae'n wraig weddw ac yn byw mewn bynglo yn Llanfair, a'i mab Tom a'r teulu yn ffermio Brynglas. Mae'r cysylltiad rhwng Ceridwen a fi'n dal yn agos iawn ac rwyf yn ei chyfrif fel aelod pwysig iawn o'm teulu er nad ydym yn perthyn mewn gwirionedd. Treuliais lawer o amser yng Nghwmpen gyda'r teulu, profiad a werthfawrogaf tra byddaf.

Roedd bod yn blentyn adeg y rhyfel yn brofiad hefyd er difrifoldeb y sefyllfa; dogni bwyd, pryder ym myd oedolion a Wil, brawd Ceridwen, yn garcharor rhyfel. Anodd i blentyn oedd deall y pryder oedd gan Ceridwen ac yn arbennig ei thad a'i mam yng Nghwmpen.

Yn 1941 daeth Taid, tad fy mam, i fyw atom a gyda ni y bu hyd ei farw yn 1948. I mi'n blentyn, diddorol oedd ei straeon am ei fagwraeth yng Ngwyddgwion, Cwm Maethlon, yn niwedd y bedwaredd ganrif ar bymtheg, ac i ryw raddau gallwn uniaethu â'i brofiadau oherwydd fy rhai i yng Nghwmpen.

Aelwyd Gristnogol oedd aelwyd Brynmeini gyda Taid yn Wesle ac yn mynychu Capel Soar. Eglwyswr oedd fy nhad, a Mam yn Fethodist. Ond wedi symud i Lanbrynmair byddai Mam a minnau yn mynd i Soar gyda Taid ond hefyd i'r Eglwys gyda fy nhad. Cefais innau fy nerbyn yn aelod o'r Eglwys. Wedi iddi droi yn fwy Seisnig ei hiaith a phan fu farw Taid, aeth fy rhieni a minnau yn aelodau i'r Capel Methodist.

Roedd Taid yn wych iawn gyda gwaith coed. Un Nadolig, a minnau wedi bod yn edrych ymlaen yn eiddgar at ymweliad Siôn Corn heb fod yn sylweddoli'r anawsterau a achosai'r rhyfel i drefniadau o'r fath, daeth yr hen Siôn Corn ag injan drên bren i mi, un fawr. Ond wrth ei hochor yn y llofft roedd nodyn gan Siôn Corn yn ymddiheuro ei fod wedi methu ei gorffen mewn pryd a bod y paent yn dal yn wlyb! Y cyfan a wneuthum y dydd Nadolig hwnnw oedd edrych arni, ond cefais chwarae gyda hi trwy ddydd San Steffan.

Diddorol oedd bywyd yn y cyfnod hwnnw. Ar nos Wener byddai Glyn y Bwtsier, o Garno, yn dod heibio efo'i fan gig, ac roedd ganddo nifer o dai i alw ynddynt lle byddai dwy neu dair o wragedd yn ymgynnull i gwrdd â Glyn a chasglu eu cig am yr wythnos ganlynol. Mrs Williams, Tŷ Pella a Beti Reynolds, y Llwyn fyddai'n dod i'n tŷ ni a byddem bob amser yn chwarae chwist ac yn rhoi'r byd yn ei le, wrth gwrs.

Ar ddydd Calan byddai'r plant i gyd yn mynd o amgylch y tai i ganu calennig. Un flwyddyn, wedi i'r faciwîs gyrraedd, roeddem ni allan yn fore iawn ac wedi hel celc go dda o bres. Ni wyddai Tony Rogers, faciwî o Lerpwl a oedd yn cartrefu yn Nôl y Bont, am y traddodiad, felly roedd yn hwyr yn cychwyn allan ac ychydig iawn o bres oedd ganddo. Yn aduniad Ysgol Llanbryn-mair yn yr wythdegau, roedd Tony yno ac yn fy atgoffa amdanom ni'n dau yn eistedd ym môn y clawdd ar ffordd y Brynaere, yn rhoi pres y ddau ohonom at ei gilydd ac yna'n eu rhannu'n gyfartal rhyngom. Pwy feddyliai y buasai gweithred mor syml yn dal yn fyw yn ei gof?

Mynd i Ysgol Pen-ddôl yn bedair oed. Edward Lloyd, Newgate, hogyn mawr, yn dod a chasglu'r plant o'r tai ar y ffordd wrth gerdded i'r ysgol.

Bob dydd byddem yn gweld Tomos Davies, y Coedcae, a Norman Owen, Dôl-lydan, yn dod ar bob i feic a threlar bach a chan llaeth ynddynt, ar eu ffordd at y stand yn y pentref i'r lori laeth eu casglu.

Mynd i ddosbarth Miss Williams, mam o athrawes a'i gofal ohonom yn anhygoel. Roedd yn debyg iawn i iâr a'i chywion yn ei dosbarth: y hi yn y canol a ni'r plant bach fel cywion o'i chwmpas. Nid oedd angen asesiad nac arolwg – roedd ei dawn a'i hymroddiad yn ddigon.

Symud wedyn i ddosbarth Miss Lloyd. Roedd yr un ymroddiad ganddi hithau ond ei bod yn llawer mwy awdurdodol. Rhaid oedd gwylio eich cam neu fe fyddai bonclust yn eich cyrraedd yn bur sydyn. Daeth nai iddi, Hywel Lloyd, mab ei brawd, ati hi a'i theulu o'r Amerig am wyliau un haf, ac fe fuom ni, blant y pentref, yn chwarae efo fo am rai wythnosau. Ei ateb cadarnhaol bob amser fyddai OK yn yr acen fwyaf Americanaidd. Efelychais innau'r OK ganddo, a'i ddefnyddio o hyd. Wedi i'r ysgol ailagor, gorchmynnodd Miss Lloyd i mi wneud rhywbeth yn y dosbarth ac atebais innau 'OK'. Mi ges glamp o row, ac meddai hi, 'Gofalwch chi, Hedd, na chlywa i chi byth eto'n dweud yr OK yna wrtha i. Ydech chi'n deall?' a'r ateb a ddaeth allan gennyf oedd 'OK, Miss'. Cefais ergyd cefn llaw sy'n dal yn fy nghof. Cofiaf Miss Lloyd yn tynnu llun banana ar y bwrdd du er mwyn i ni'r plant weld beth oedd banana. Nid oedd yr un ohonom erioed wedi gweld un, a ninnau'n saith oed. Dyna effaith y rhyfel ar blant ardaloedd fel Llanbryn-mair ar y pryd.

Yna i ddosbarth Mr Huws. Hanes beirdd, llenorion a thywysogion Cymru, a thynnu lluniau, oedd ei bethau. Roedd yn arlunydd arbennig iawn. Tynnodd lun o Sarah Margaret, Caeau Gleision, mewn olew. Roedd yn werth ei weld ac yn ymddangos yn hollol anhygoel i ni'r plant. Deallaf fod y llun yn dal gan ei mab Meirion hyd heddiw.

Un diwrnod, a ninnau ar iard yr ysgol, sylweddolwyd fod y cŵn llwynog ar ochor Tŷ Mawr, a dyna rai o blant y ffermwyr yn awgrymu ein bod yn mynd ar ôl y cŵn.

Credaf mai Ifor Caeau Gleision a Ralph y Felin oedd yn gyfrifol, ac ar ôl y cŵn llwynog yr aeth criw ohonom. Bore trannoeth, daeth Huws â'r gansen allan o'r cwpwrdd a dyna fu ein tynged.

Cofiaf hefyd am holl blant yr ysgol yn cerdded i lawr i'r orsaf ar ddau achlysur i groesawu carcharorion rhyfel adref, Dic y Coedcae a Wil Cwmpen. Ni ddaeth mab Mr Huws adref a gwelir ei enw ar gofeb y pentref heddiw.

Cyfeiriais at Giaffar, sef Robert Rowlands, a'i briod, y buom ni fel teulu yn rhannu eu cartref am y ddwy flynedd gyntaf yn Llanbryn-mair. Daethant i Lanbryn-mair o ardal y Foel, Llangadfan, yn ystod tridegau'r ganrif ddiwethaf a chymryd tenantiaeth fferm Clegyrddwr a oedd yn rhan o stad Syr Watkin Williams Wynn. Roedd Robert Rowlands un ai yn ŵr busnes da, yn ŵr mentrus, neu yn un a allai ragweld y dyfodol; ni wn yn iawn pa un. Mae'n debyg iddo, yn fuan iawn ar ôl dod i Glegyrddwr, gael copi o'r *Farmers Weekly* a gweld ynddo hysbyseb am dractorau gan Massey Harries. Anfonodd at y cwmni i gael rhagor o fanylion. Rhaid cofio nad oedd yr un tractor yn y plwy ar y pryd.

Ryw wythnos yn ddiweddarach ac yntau'n agor ffos ar un o'r rhosydd ymhell o'r tŷ, gwelodd ŵr mewn siwt a chês bach ganddo yn cerdded tuag ato. Ie, gŵr o Massey Harries wedi dod yr holl ffordd i'w weld a cheisio gwerthu tractor iddo. Bu trafodaeth yno ar ymyl y ffos a phenderfynodd y byddai'n prynu un, ond roedd yna ddewis anodd iawn i'w wneud: ai un gydag olwynion teiars gwynt ynteu un ag olwynion haearn a sbeics oedd orau? Ffordd Giaffar o ateb y broblem oedd prynu dau, un o bob un.

Bu'r ddau dractor yn fodd iddo sefydlu ei hun yn gontractiwr amaethyddol a oedd yn dyrnu, yn aredig ac ati yn ne Maldwyn a de Meirion am flynyddoedd lawer. Ar un adeg, roedd tua ugain yn gyflogedig ganddo a byddem ni'r plant yn rhyfeddu o weld un o'r Masseys efo dyrnwr, belyr, peiriant torri gwellt ac ati.

Yn aml, byddai pump neu chwech o beiriannau'n cael eu llusgo y tu cefn i'r tractor ar hyd ffyrdd y canolbarth, fel un o'r 'Road Trains' mewn ffilmiau'n mynd o fferm i fferm.

Adeg y rhyfel roedd hi'n anobeithiol i rywun gael car newydd oherwydd roedd yn rhaid aros pedair blynedd a mwy am un ar ôl ei archebu. Gwelodd Giaffar ei gyfle. Archebodd Austin A40 bron ym mhob garej o'r Drenewydd i Aberystwyth ac yna, fel yr oeddynt yn cyrraedd, mynd â nhw'n syth i arwerthiant ceir Queensferry a gwneud rhai cannoedd o elw ar bob un.

Menter arall ganddo oedd dod â gwartheg ucheldir yr Alban i Gymru. Os oeddynt yn gallu byw'n dda ar diroedd gwael ucheldir yr Alban, credai y buasent yn llwyddiant mawr ar fynyddoedd canolbarth Cymru. Aeth i arwerthiant yn Perth yn 1947 a phrynu tair buwch a tharw. Cludwyd hwy i Lanbryn-mair ar y trên a chofiaf yn dda eu gweld yn cael eu harwain o'r orsaf i Glegyrddwr yn ystod cyfnod yr eira mawr yn 1947. Methiant fu'r fenter hon. Roeddynt yn hollol ymosodol a chafodd un o weithwyr Clegyrddwr ei anafu'n ddrwg iawn. Dyna derfyn ar geisio dod â darn o'r Alban i Faldwyn.

Cofiaf hefyd iddo brynu ci defaid gan John Jones, Trawsfynydd, a oedd yn enwog iawn fel hyfforddwr cŵn defaid yn ei gyfnod. Daeth Prince i Glegyrddwr ac o fewn diwrnod neu ddau roedd wedi diflannu. Ofer fu pob ymdrech i gael hyd iddo, ac amheuwyd y byddai'n darganfod ei ffordd yn ôl i Drawsfynydd. Wedi dros wythnos o amser nid oedd yn ôl yn Traws, na neb wedi gweld unrhyw olwg ohono. Trefnwyd i John Jones ddod draw i Glegyrddwr, a chan na wyddai lle roedd y fferm, galwodd ym Mrynmeini a minnau'n blentyn yn mynd gydag o i ddangos y ffordd. Wedi cyrraedd, safodd ar y buarth a chwibanu. Yn sydyn fe welem Prince yn dod tros grimell y bryn yn y pellter ac yn ôl yn syth ato. Er na chafodd Prince ddychwelyd adref i Drawsfynydd fel y dymunai, fe gartrefodd yng Nghlegyrddwr yn weithiwr da ac yn ffefryn yno am flynyddoedd.

Cyfeiriais at Wil Cwmpen (William Roberts, a brawd i Ceridwen) a fu'n garcharor rhyfel. Yn 2010 cysylltodd Joyce Watson, aelod Llafur yn y Cynulliad, â mi gan ei bod yn ceisio cofnodi hanes ei thad. Ie, merch Wil Cwmpen. Bu i mi gwrdd â hi, a rhyngom daeth at ei gilydd yn hanes diddorol iawn.

Wedi gadael yr ysgol yn Llanbryn-mair bu'n gwas-anaethu ar sawl fferm yn y fro. Roedd yn gymeriad hoffus – un direidus ac yn llawn castiau. Byddai gweision ffermydd yn ymgynnull wrth Siop Tomi fin nos ac un noson, daeth gwraig ddiarth eithaf mawr mewn car MG bychan ac aros wrth y siop. Gadawodd injan y car i redeg am fod y batri'n fflat, mae'n debyg, a mynd i'r siop. Pan ddaeth allan roedd injan y car wedi stopio, ac fel roedd hi'n ymbalfalu i fynd i mewn i'r car, gofynnodd i'r bechgyn, 'Would you mind giving me a push?' Aeth Wil ati ar ei union a rhoi hergwd i'w phen-ôl nes ei bod ar ei hyd ar draws dwy sedd flaen y car.

Yn 1940 cafodd alwad i ymuno â'r fyddin. Roedd yn uniaith Gymraeg ond fe fyddai, yn ôl yr addewid, yn cael chwe mis o hyfforddiant yn yr iaith Saesneg. Nid felly y bu.

Mewn tair wythnos roedd yn ymladd yn yr Almaen lle cymerwyd ef yn garcharor rhyfel a chafodd amser caled yng ngharchar Stalag 22. Ymhen amser roedd yn siarad Almaeneg a Chymraeg. Wedi iddo lwyddo i ddianc bu'n byw'n wyllt mewn coedwig am gyfnod hir cyn cael ei saethu a cholli bawd ei droed. Yna fe'i hanfonwyd i garchar yng Ngwlad Pwyl lle roedd amodau byw yn llawer caletach hyd yn oed na'r Almaen, ond oherwydd ei gefndir amaethyddol câi fynd o dan oruchwyliaeth i weithio ar ffermydd. Golygai hyn ei fod yn medru cael planhigion gwyllt, chwilod a thrychfilod ac ati i'w bwyta ac fe allasai hyn fod wedi arbed ei fywyd. Erbyn hyn, medrai siarad Cymraeg, Almaeneg a Phwyleg. Dihangodd drachefn a byw'n wyllt am yr ail dro. Erbyn 1944 roedd wedi cyrraedd porthladd yng ngogledd Gwlad Pwyl lle roedd llong o Ffrainc yn cludo coed. Llwyddodd rywsut i gael ei hun ar y llong a daeth i Ffrainc. Bu'n gweithio gyda'r cwmni coed yn Ffrainc a dysgodd siarad Ffrangeg. Ymhen amser cafodd ei hun ar long a oedd yn mynd i'r Alban, erbyn hyn ac yntau ar dir Prydain, teimlai'n weddol ddiogel ond cafodd ei arestio a'i garcharu fel ysbïwr Almaenig am na fedrai siarad Saesneg. Deallodd swyddog carchar yn Glasgow, un o dras Gymreig, mai Cymro oedd Wil, a chafodd ei ryddhau.

Wedi'r rhyfel arhosodd yn y fyddin fel staff-ringyll yn Camp Hamilton, yr Alban, ac yna ym Maenorbŷr, sir Benfro, hyd 1964, yn gyfieithydd swyddogol i'r fyddin gan ei fod erbyn hyn yn ieithydd arbennig iawn.

Yn yr Alban cyfarfu â'i briod, Jean. Ymgartrefodd wedyn yn ne Ceredigion a magu wyth o blant, pedwar mab a phedair merch nad oedd yn medru'r Gymraeg oherwydd, yn ei eiriau ef, roedd ei ddiffyg Saesneg wedi creu cymaint o anhawster iddo. Erbyn hyn, mae ei wyrion yn cael addysg Gymraeg a Joyce Watson, AC, yn dysgu'r iaith ac yn medru cynnal sgwrs yn Gymraeg.

Yn Llanbryn-mair roedd yna un digwyddiad blynyddol tua diwedd gwyliau'r haf, sef yr hyn a elwid yn 'Growsio'.

Yng Nghwm Pandy roedd y Lodge – tŷ mawr deg llofft a neb erioed wedi byw yno'n sefydlog. Syr Watkin Williams Wynn oedd y perchennog ac wrth ei ymyl roedd yna fwthyn lle cartrefai ciper y stad. Y ddau a gofiaf i yw Duncan a Ness; Albanwyr oedden nhw, a'u swydd oedd gofalu am y grugieir a'r ffesantod ar y stad.

Yn flynyddol deuai byddigions o bob rhan o Brydain ac aros yn y Lodge a byddem ninnau, fechgyn hynaf yr ysgol, yn cael y gwaith o godi'r grugieir i'r criw yma eu saethu. Caem bunt y dydd am hyn ac roedd yn arian da ar y pryd.

Amser cinio byddai Dafydd Roberts a'i gaseg, Loffti, yn dod i gwrdd â ni ar y mynydd. Cludai Loffti'r fasged fawr a gynhwysai'r cinio a oedd yn dderbyniol iawn wedi bore o ymlafnio trwy gorsydd, grug ac ati.

Un peth a gofiaf yn dda, byddai yno ddigon o greision a lemonêd gan fod Syr Herbert Smith, perchennog y cwmni creision, a pherchennog Schweppes yno ymhlith y saethwyr. Gwehilion cymdeithas oeddem ni yn eu golwg, mae'n debyg, ond roedd yn brofiad ac roedd y bunt y dydd yn dderbyniol iawn.

3. Cymuned Llanbryn-mair

Cymuned hollol Gymreig oedd hi yn ystod fy mhlentyndod, wedi'i lleoli mewn plwyf eithaf mawr ac ynddo saith treflan wasgaredig. Er hynny, cymuned glòs iawn oedd hi; poblogaeth o ryw wyth gant, a thua phump y cant o'r rheini wedi'u geni y tu allan i Gymru – ambell giper ar y stadau yn hanu o'r Alban, Syr y Plas, ei deulu ac ambell aelod o'i staff yn wreiddiol o Loegr, a dyna ni.

Roedd yna un ar ddeg siop yn gwerthu popeth, neu o leiaf dyna a gredem ar y pryd, a'r rheini mor llawn fel ei bod yn anodd troi'n ôl am y drws wedi cwblhau eich neges. Dwy siop ym Mhenffordd-las, un ym Mhennant, dwy ym Mhont Dolgadfan, un yn Nhalerddig, un yn Nôl-fach, un yn y Pandy a thair yn nhreflan y Wynnstay.

Mrs Davies, Siop y Llan, oedd yr un am hanesion. Gwyddai bopeth am bawb. Yn wir, hi oedd papur bro'r cyfnod.

Roedd tri chapel, saith ysgoldy a dwy eglwys ac, wrth gwrs, neuadd bentref a godwyd trwy ddefnyddio un o hen adeiladau'r fyddin o'r Rhyfel Byd Cyntaf. Y rhain oedd canolbwynt y diwylliant: y Band of Hope, y Gymdeithas, cyfarfodydd cystadleuol neu fel y'u gelwid yn lleol 'Cwarfod Bech', ambell ddrama un act, corau, partïon, cyrddau gweddi ac eisteddfod a chyngherddau. Roedd y fro'n fwrlwm o weithgareddau a'r cyfan yn ddibynnol ar wirfoddolwyr fel Robert Evans (gweinidog yr Hen Gapel), Elwyn Davies (prifathro) a'i briod Nest, Harry Roberts (prifathro) a'i briod Ann, Islwyn a Gweneira Lewis (arbenigwyr ar hyfforddi dramâu, caneuon actol a sioeau cerdd), W. E. Williams (corau a Phartïon), fy nhad ym myd adrodd, a llawer mwy.

Roedd ymroddiad y Parch. Robert Evans yn ddiflino gyda ni, yn blant, yn y *Band of Hope* a hefyd yn y 'Guild' gyda'r ieuenctid o bob enwad. Bu hyn yn sylfaen gadarn i'm bywyd a'm cred. Roedd y cartref a chyfraniad y gŵr arbennig yma yn pontio enwadaeth yn ddiamheuol, ac yn rhoi i ni Gristnogaeth a oedd, yn fy nhyb i, yn gyfoes.

Roedd dwy efail y gof, a Dafis yr Efail Fawr mor wenwynllyd ag arogl tân ei bentan pan fyddai'r fegin fawr yn chwythu, ac mor bigog â'r hoelion a ddefnyddiai i bedoli'r ceffylau. Ond roedd pawb yn ei ddeall a'i dderbyn.

Yna, pedwar gweithdy crydd, sef un Sec Bach, y Pandy; Jac Bach, y Llan; Arthur Evans, Dôl-fach ac Edwin Evans, y tu ôl i'r Wynnstay. Gweithdy Edwin Evans oedd un o'r mannau cyfarfod i drafod y plwyf a'i bethau, straeon a throeon trwstan.

Tair ysgol – tua phymtheg i ugain o blant yn Ysgol y Pennant, tua phedwar deg yn Ysgol y Bont a thua naw deg yn Ysgol Pen-ddôl. Huws Bach oedd prifathro yr ysgol fwyaf pan oeddwn i yn yr ysgol, gŵr a ddaeth o Arfon a chyrraedd fel Mr H. A. Hughes. Bum mlynedd ar hugain yn ddiweddarach ymddeolodd a throi yn ôl am Arfon yn dal yn Mr H. A. Hughes i bawb. Ni wyddai neb, hyd y gwn, am beth y safai'r H.A. yn ei enw. A oedd hyn yn golygu ei fod yn ddyn unig? Nac oedd, wrth gwrs. Parch y cyfnod oedd hyn, a dim arall. Mae un peth yn sicr, nid oedd yr H yn sefyll am y *Battle of Hastings* na'r A yn sefyll am y *Spanish Armada*. Yr hanes a gawsom ni oedd hanes y fro a'i henwogion, ymfudo i'r Amerig, tywysogion, emynwyr, beirdd a llenorion Cymru. Oedd, roedd Huws Bach wedi ein plannu ni'n ddwfn yn nhraddodiadau ein bro a'n gwlad, yn union fel y bu iddo ein dysgu i blannu llysiau yn ddwfn a diogel yn yr ardd a oedd y tu cefn i'r ysgol. Yr un oedd ymroddiad yr athrawon yn y ddwy ysgol arall hefyd. A'r ddwy athrawes arall oedd yn ysgol Pen-ddôl oedd Varina Williams a Ceridwen Lloyd a hyd y gwn, rhoesant oes gyfan o wasanaeth yn yr un ysgol.

Byddai llawer o ffermwyr yn dod â menyn ac wyau'n wythnosol i dai'r pentrefi yn unol â'r archebion. I'n tŷ ni byddai'r wyau a'r menyn yn dod o fferm Cwmpen Llydan, un o'r ffermydd mwyaf anghysbell yn y fro. Byddai Morris, y mab, yn dod ar y Ffyrgi bach efo *link-box* ar ei du ôl a Mrs Roberts, ei fam, yn eistedd yn urddasol ar hen sêt car a oedd wedi'i bolltio yn y *link-box* a'r wyau a'r menyn yn ddiogel mewn basgedi wrth ei hochor. Wedi iddi setlo'n gyfforddus ar y sêt byddai Morris yn gweiddi 'Lookout!' bob tro cyn i'r tractor symud. Roedd *Health and Safety* yn bodoli hyd yn oed yr adeg hynny!

Yn y chwedegau codwyd deugain o dai cyngor fforddiadwy i gyplau ifanc – pawb yn Gymry, a'r awdurdod lleol *yn* lleol ac yn gwasanaethu'r gymuned. Dyna fu man cychwyn fy mywyd priodasol i a llawer un arall. Wedi cael help i gychwyn cerdded, daw'r daith yn haws gyda phob cam.

Amaethyddiaeth oedd prif ddiwydiant cefn gwlad yn y cyfnod hwnnw, ac nid oedd Llanbryn-mair yn eithriad. Yng Nghwm Pandy, un cwm yn unig o gymoedd y plwyf, roedd un ar bymtheg o ffermydd a phob un yn cynnal ar gyfartaledd dri theulu – y ffarmwr, y gweision a'r morynion, a'r rheini'n byw yn nhai'r treflannau, yn magu teuluoedd, yn cynnal y diwylliant ac yn gwarchod yr iaith. Caled oedd y bywyd materol ac yn llawn cymylau, ond hafddydd braf oedd y bywyd cymdeithasol a melys yw'r atgofion.

Busnes â chyflogaeth uchel oedd busnes adeiladu David Wigley, crefftwr arbennig a dyn blaengar iawn a adeiladodd lawer o dai newydd ar ffermydd y fro yn y pumdegau a'r chwedegau.

Digwyddiad mawr arall oedd dyfodiad Laura Ashley i Garno a chreu cymaint o swyddi yn y canolbarth.

Uchelgais mawr pob llanc o'r wlad yw 'torri cwys fel cwys ei dad'.

Erbyn hyn, a minnau wedi ymddeol, caf gyfle i ymsona am y gŵys a adawodd fy nhaid; fy rhieni; Dafydd Roberts, y Cwmpen, Huws Bach a llawer o rai eraill; yr Urdd; y Capel a'r Gymdeithas, i mi a'm cenhedlaeth. A minnau ar ben cwys fy nghenhedlaeth, caf gyfle i droi ac edrych yn ôl. Tybed pa mor union yw'r gwys a adawyd gennym ni?

Un siop a Saeson lle bu Ifans y Post. Dim un gweithdy crydd na'r un Edwin Evans a'i fan cyfarfod. Dau gapel yn unig a dyrnaid o bobol yn glynu mor dynn wrth bulpud capel ag y gwnânt wrth eu pulpud cerdded. Efail y Gof yn *Anvil Cottage* ac yn dŷ haf. Trueni na wnaeth rywun daro'r haearn tra oedd yn boeth.

Yr ystad dai cyngor yn gartref i lawer o fewnfudwyr heb unrhyw gariad na chydymdeimlad at yr iaith, y diwylliant na'r gymuned; neu'n gartref i bobol leol a llawer o'r rheini'n ddi-waith.

Syr y Plas, yr hen ormeswr a griplwyd gan arthritis a threthi'r *England Revenue*, wedi gwerthu ei etifeddiaeth a marw heb ond ychydig o'i etifeddiaeth yn dal yn ei feddiant. Tai'r treflannau ddim yn gwneud fawr mwy i fywyd y gymuned na nythod y gwenoliaid sydd dan eu bondo, ac yng Nghwm Pandy heddiw ceir chwe uned amaethyddol, dim gweision na morynion, a llawer o'r ffermwyr yn byw ar bensiwn henoed a grantiau.

Un ysgol ac ynddi tua deg ar hugain o blant a thros eu hanner o gartrefi di-Gymraeg.

Cwmpen wedi'i werthu – y tŷ yn unig am chwarter miliwn. Nid yw arogl mwg y mawn na'r croeso bellach ar y ffermydd na'r tai yn y treflannau. Arogl beth sydd yn rhai o'r tai ym mannau anghysbell y fro erbyn hyn, tybed?

Oedd, roedd y gymuned yn ddibynnol ar amaethyddiaeth, ac amaethyddiaeth yn ddibynnol ar y gymuned. Erbyn hyn mae amaethyddiaeth yn ddibynnol ar y Weinyddiaeth a'i sieciau hael, a'r gymuned yn ddibynnol ar ffawd – cyfoeth materol a thlodi cymdeithasol wedi lladd hapusrwydd y tlodi materol a'r cyfoeth cymdeithasol oedd mor gadarn fel sylfaen i ddiwylliant y fro yn ein plentyndod.

Ai fi a'm cenhedlaeth sy'n gyfrifol? Ai ni ddaeth â'r cymylau duon yma i fodolaeth? Na, nid yw'r gymuned hon yn wahanol i gymunedau eraill cefn gwlad.

Datblygiad ydyw, medden nhw. A oes heulwen tu hwnt i'r cwmwl? A oes gobaith ar orwel Bae Caerdydd y gwêl ein Cynulliad yr argyfwng a rhoi i ni ddiwrnod braf heulog yfory, neu a fydd y llif yn dal i foddi'r iaith a'r diwylliant fel rhyw tswnami dawel, anweladwy tra ein bod ni'n anwybyddu'r sefyllfa'n gyfforddus yn ein bywyd moethus.

4. Ieuenctid

Wedi gadael yr ysgol, yr Aelwyd yn Llanbryn-mair a'r Urdd oedd y prif bethau ym mywyd ieuenctid y fro, er bod yna lu o weithgareddau eraill. Roedd y dawnsfeydd gwerin yn Nolgellau a gynhelid yn wythnosol, gydag Iolo ab Eurfyl yn galw, yn gyrchfan i lawer o ieuenctid rhan helaeth o Faldwyn a Meirion. Un apêl oedd y dawnsio ond mae'n siŵr mai'r merched oedd y prif apêl i ni'r bechgyn, a ninnau, mae'n debyg, yn apêl i'r merched. Byddai'r dawnsfeydd hyn yn codi arian sylweddol iawn at weithgareddau diwylliannol cylch Dolgellau.

Bu i Tegwyn Morris a minnau weld cyfle i greu gweithgaredd a fyddai'n ariannu gweithgareddau'r Urdd ym Mro Ddyfi, yn ogystal â chreu atyniad i'r ieuenctid, trwy gynnal dawnsfeydd gwerin yn Neuadd y Dref ym Machynlleth. Bu'r rhain yn llwyddiant mawr am rai blynyddoedd – Tegwyn yn gwneud y trefniadau, fi'n galw a pha bynnag Aelwyd neu sefydliad a fyddai'n elwa yn gyfrifol am y stiwardio.

Dyma'r cyfnod y bu i mi ddechrau cymryd rhan mewn pwyllgorau a gweithgareddau yn Llanbryn-mair, Pwyllgor y Neuadd a'r ystafell snwcer ac ati, a ffurfio cysylltiad agos â thri a oedd yn weithgar iawn yn y pentref, sef Arthur Plume, William John Davies a John Williams, Tŷ Pella. Roedd Arthur wedi byw yn Llanbryn-mair er yn blentyn ifanc iawn; ei rieni'n hollol ddi-Gymraeg ond roedd Arthur yn hollol rugl yn yr iaith. Credaf mai dyma'r unig berson a welais a oedd yr un mor gyfforddus yn y ddwy iaith. Mewn ffordd, dwy iaith gyntaf oedd ganddo. William John wedyn yn un eithaf awdurdodol ac yn gallu rheoli pawb ond, er hynny, yn barod i gymryd y rhan fwyaf o'r baich ar ei ysgwyddau ei hun. John Tŷ Pella (brawd W.E., y canwr a'r arweinydd corau) oedd yr un i ddelio efo unrhyw sefyllfa ariannol. Er bod y tri tua deng mlynedd yn hŷn na fi, bu cydweithio da iawn rhyngom am flynyddoedd lawer.

Roedd holl weithgareddau'r fro yn uniaith Gymraeg yn y cyfnod hwnnw ac un tro, mewn cyfarfod agored o Bwyllgor y Neuadd, roedd Dr Eric Macdonald, gŵr di-Gymraeg a oedd newydd symud i fyw i'r plwyf, yn bresennol. A minnau'n cadeirio, roeddwn yn bendant mai yn Gymraeg y byddai'r cyfarfod, ond er hynny teimlwn reidrwydd i gynorthwyo'r gŵr hwn, a oedd yn rhan o'r gymuned ac yn dangos diddordeb yng ngweithgareddau'r pentref, i fedru dilyn. Cynhaliais y cyfarfod yn Gymraeg, gan egluro i Dr Macdonald beth oedd yn digwydd. Ar ddiwedd y cyfarfod daeth ataf a golwg siomedig iawn arno. Roeddwn am ddal yn gadarn tros gynnal y cyfarfod yn Gymraeg. Do, fe gefais bregeth a'm rhoi yn fy lle ond nid am ddefnyddio'r Gymraeg, ond am roi'r sylwadau yn Saesneg iddo fo. Roedd o wedi dewis cymuned Llanbrynmair am yr hyn oedd hi ac nid oedd am weld unrhyw newid o gwbl oherwydd ei ddyfodiad. Ei le ef oedd addasu i'r sefyllfa; nid ein bod ni'n addasu iddo fo. Dyna wers a gofiaf am byth. Bu Dr Mac yn aelod gwerthfawr iawn o fywyd a diwylliant Bro Ddyfi am flynyddoedd lawer. Trueni na fyddai llawer mwy o'r mewnfudwyr yn debyg iddo.

31

Roedd yr ystafell snwcer yn lle pwysig iawn yn y cyfnod hwn. Byddai yno lawer o hwyl, llawer o drafod a rhoi'r byd yn ei le. Glyn Tafolwern ac Arthur Hughes oedd yn rhedeg y lle.

Roedd Sioe Llanbryn-mair heb ailgychwyn ar ôl y rhyfel ac wedi trafodaeth yn yr ystafell snwcer rhyw noson, dyma benderfynu ei hatgyfodi. Arthur Plume yn gadeirydd, William John a minnau'n ysgrifenyddion a John Tŷ Pella'n drysorydd.

Roedd perthynas i deulu Hafod y Foel yn bur enwog ym myd rasio moto-beics 'grass track', a bu i'r gŵr hwnnw, Bill Gwynn, drefnu rasio 'grass track' i ni sawl tro yn y sioe. Bûm yn cyhoeddi ar yr uchelseinydd yn y sioe am yn agos i hanner can mlynedd. Cofiaf yn dda am un sylw 'anffodus' a wnes dros y meic, a dim ond ar ôl i'r gynulleidfa chwerthin y sylweddolais beth yr oeddwn wedi'i ddweud. Wrth gyfeirio at Bill Gwynn dywedais, 'Mae Bill Gwynn yn priodi y penwythnos nesaf ac ni fydd yn reidio y penwythnos hwnnw.'

A minnau'n mynd i wersyll yr Urdd yng Nglan-llyn yn rheolaidd, roeddwn yn dod ar draws hogyn o Fôn yno'n aml iawn, sef Bob Williams neu Bob Sir Fôn fel y'i gelwir gan bawb. Roedd Bob yn y cyfnod hwnnw'n reslwr a chysylltiad ganddo â chlwb reslo ym Manceinion. Trefnodd ein bod ni'n cael gornest reslo yn ein sioe yn Llanbryn-mair, gyda Kendo Nagasaki, y reslwr oedd â mwgwd am ei wyneb, a gornest ferched – Hellcat Haggerty yn erbyn y *blond bombshell* Mitzi Mueller. Cost y cyfan oedd £90. Rhai nosweithiau cyn y sioe, daeth Bob ar y ffôn i awgrymu ein bod yn cael dau gymeriad lleol i fod yn 'seconds' yn y corneli ac fe ddewiswyd Wyn Brynclygo a Tom Ffridd-fawr.

Fy rhieni, Idris ap Harri a Lowri.

Fi a'm taid William Owen.
Bu'n byw gyda ni hyd ei farw pan oeddwn yn 8 oed.

Yn 11eg oed,
cyn mynd i
ysgol breswyl
yn Nhywyn.

Cael fy nerbyn i Orsedd Llydaw yn 12 oed.

Fy ewyrth
Caswallon
fel dyn AA yn
ardal Tal-y-llyn
yn niwedd y
20au.

Caswallon gyda
moto-beic a cherbyd
ochor yng
Nglanconwy
ar ddechrau'r 30au.

Fy nhad yn croesawu Wil Cwmpen adref ar ôl y rhyfel.

Dewyrth Dei Talgarth (Dai Williams) a oedd yn flaenllaw ym myd bowlio.

Parti Dawns Adran yr Urdd, Llanbryn-mair. Y fi yn y rhes flaen ar y dde.

Cân Actol Adran yr Urdd. Y fi yn y rhes flaen ar y chwith.

Cwmni Drama'r Aelwyd yn perfformio Y Pren Planedig. Y fi fel John Hughes, Pontrobert ar y dde.

Chwaraegerdd Y Ferch o Gefnydfa – rwy'n bisyn yn fy het silc!

Diwrnod gwlyb iawn oedd diwrnod y sioe a bu'n rhaid cynnal y reslo yn y neuadd.

Tua hanner dydd cyrhaeddodd fan fawr gyda phedwar dyn ynddi, a char yn dilyn, gyda dwy ferch a dau ddyn yn hwnnw. Codwyd y sgwâr reslo yn y neuadd a phopeth yn barod i'r ornest gychwyn am dri o'r gloch. Tua hanner awr wedi dau dyma ddau o'r dynion yn mynd i ffwrdd yn y car gan ddweud fod Kendo Nagasaki yn methu dod o hyd i'r neuadd. Ymhen ychydig daeth y ddau yn eu hôl, un â mwgwd am ei wyneb.

Y gynulleidfa'n barod ac yn llawn tensiwn, y cyhoeddwr a'r ddau 'second' yn dod at y cylch, Tom Ffridd-fawr mewn siwt a bwced a photel yn ei law, a Wyn Brynclygo yn ei ddillad oel a bwced a photel ganddo, wedi dod yn syth o adran y defaid ar y maes. Cafwyd gornest gychwynnol, yna'r ornest yr oedd Kendo ynddi a fo'n ennill, wrth gwrs. Wedyn gornest y merched – Tom gyda'r Hellcat Haggerty a Wyn gyda'r *blond bombshell*. Ar ddiwedd rownd, pan ganodd y gloch, roedd y *blond bombshell* yn ymddangos fel petai'n anymwybodol ar wastad ei chefn ar ganol y cylch. Dyma Wyn yn cerdded ati gyda'i fwced a'i botel, yn sefyll uwch ei phen ac un goes bob ochr iddi, ac meddai, 'What would you like me to do to you now, my dear?' Pawb yn chwerthin a'r *blond bombshell* 'anymwybodol' yn chwerthin hefyd.

Oedd, roedd y sioe honno yn un arbennig ac yn dal yn fyw yn y cof. Fin nos cafwyd noson lawen gyda 'Grŵp Sgiffl Llandygai'. Ie, yr Hogiau a ddaeth mor enwog wedyn. Cost y grŵp oedd £10 a'r derbyniadau ychydig tros £100. Cafwyd llawer sioe gofiadwy arall ac mae'n dal i fynd, er ei bod erbyn hyn yn anodd iawn gyda chostau uchel a myrdd o reolau iechyd a diogelwch.

Yn y cyfnod hwn ymunais â chlwb ralïo ceir Bro Ddyfi. Cynhaliai'r clwb ralïau bach dros nos ar nosweithiau Sadwrn. Cyd-yrrwr oeddwn i gyda Huw Dolgoch mewn Ford Cortina GT a hefyd gyda Dei Station Garage mewn Austin Metropolitan. Cawsom lawer o hwyl, ac aml wrthdrawiad. Cofiaf un yn arbennig. Efo Huw yr oeddwn i'r tro hwnnw. Cychwyn ym Machynlleth ac o amgylch ffyrdd cul y canolbarth i safle hanner ffordd yng Nghaersŵs. Wedi cyrraedd yno, darganfod ein bod ar y blaen, ac felly rhaid oedd cadw'r fantais honno i'r diwedd. Gwesty'r Metropole yn Llandrindod oedd pen y daith. Pawb wedyn yn cychwyn ar ben pob munud o Gaersŵs ac i ffwrdd â ni. Ar ffordd gul ym Mochdre daethom o hyd i'r car oedd o'n blaen, wedi cael damwain. Ar ôl sicrhau bod pawb yn iawn a chael y car i'r ochr fel ein bod yn medru pasio, roeddem ychydig yn hwyr. Yn y goedwig yn ardal Clun sylwais ar y map fod yna ffordd yn croesi a allai arbed rhai munudau. Dywedais wrth Huw am fynd y ffordd honno a dyna a wnaeth. Ymhen rhyw hanner milltir daeth y ffordd i ben a dyma Huw'n dweud, 'Dalia'n sownd, ryden ni'n mynd oddi ar y ffordd', neu rywbeth tebyg gan na allaf roi'r union eiriau mewn print! Dyna a ddigwyddodd – y car ar ei olwynion mewn cors. Cerdded yn ôl i'r groesffordd ond erbyn i ni gyrraedd roedd pawb wedi mynd. Sylwi fod golau yn y pellter, cerdded ato, hen ŵr yn byw ar ei ben ei hunan yn dioddef o'r fogfa, ac wedi codi. Roeddem yn weddol agos i'r Anchor Inn. Cyrraedd yno tua hanner awr wedi un y bore ac roedd rhyw hanner dwsin o swyddogion o'r fyddin yno'n barod ar gyfer ryw ymarferiad drannoeth – y nhw oedd y gelyn a chriw arall yn ceisio'u dal. Roeddynt yn barod iawn i'n helpu er eu bod wedi cael noson go eger yn yr Anchor. I ffwrdd â ni yng ngherbyd y fyddin gyda'r rhain. Wedi cryn drafferth cafwyd hyd i'r car a'i dynnu allan. Ymlaen â ni yn uniongyrchol i'r Metropole yn Llandrindod lle roedd pawb wrth eu brecwast a ninnau, wedi cael ein brecwast, yn gorfod troi'n ôl yn syth am fod Huw eisiau mynd adref i olchi'r car i fynd â'i fam i'r capel.

Roedd yr Aelwyd yn ei hanterth yn Llanbryn-mair ar y pryd a chofiaf i ni drefnu tîm pêl-droed i gystadlu yng nghystadleuaeth bêl-droed yr Urdd, gyda chwmni Laura Ashley yn rhoi'r wisg i'r tîm. I ffwrdd â ni mewn bws i Bontrhydfendigaid, i gêm yn y rownd gyntaf, ac Elwyn Davies, arweinydd yr Aelwyd, efo ni. Collwyd y gêm gyda sgôr syfrdanol, rhywbeth tebyg i 14–1. Wrth gyrraedd yn ôl i Lanbryn-mair dyma Elwyn Davies yn dweud nad oedd dim angen sôn am y sgôr, dim ond dweud ein bod wedi colli. Pan stopiodd y bws wrth Lwynffynnon roedd Nest, ei briod, yno ar ben y ffordd ac Elwyn yn dweud, 'Dow, Nest, mi wnaeth yr hen fois yn dda ond colli ddaru ni cofia a 3–1 oedd y sgôr'. Erbyn hynny roedd y canlyniad wedi bod ar y radio a phawb yn gwybod.

Yn Eisteddfod Wrecsam yn 2011, wrth longyfarch Geraint Lloyd Owen ar y gamp o ennill y Goron, atgoffodd fi am y cyfnod pan oedd yn athro ym Machynlleth. Yr adeg honno roedd rhaglen *Sêr y Siroedd* ar y radio a Maldwyn yn cystadlu yn erbyn Cymry Llundain. Roedd Geraint a fi wedi paratoi deialog mewn barddoniaeth rhwng Henry Cooper a Cassius Clay ac fe enillwyd yn erbyn Ryan a Ronnie! Ond credaf yn gryf mai'r prifardd a gyfrannodd fwyaf i'r gamp honno hefyd.

35

5. Yr Urdd

Yr Urdd oedd y prif beth i blant a phobl ifanc y fro – Adran i'r plant ysgol ac Aelwyd i'r rhai hŷn. Byddem yn cystadlu yn yr eisteddfodau cylch, yr eisteddfodau sir ac yn aml yn y Genedlaethol. Yn y gyfrol *Urdd Gobaith Cymru*, cyfeiriodd Gwenant Davies ataf oherwydd digwyddiad yn Eisteddfod Llangefni a minnau'n ddim ond rhyw chwech i saith oed ar y pryd. Roedd Robert Evans, gweinidog yr Hen Gapel, wedi mynd â pharti bach ohonom i gystadlu yn yr eisteddfod ac mae'n debyg i ni gael mynd i'r farchnad yn Llangefni i brynu anrheg i fynd adref i'n rhieni. O bob peth yn y byd, prynais chwech o gywion ieir diwrnod oed yn anrheg i Mam. Achosodd y rhain gryn banig i'r gweinidog a swyddogion yr Eisteddfod. Fe'u cadwyd yn gynnes a chlyd wrth wresogydd yn swyddfa'r eisteddfod trwy'r dydd a chafwyd potel ddŵr poeth i fod gyda nhw yn y bws ar y ffordd adref. Do, fe gyrhaeddodd y chwech Frynmeini'n fyw. Nid oedd gan fy rhieni ieir o gwbl a chawsant fynd i'r cwpwrdd crasu dillad mewn gwlân cotwm. Bu'r chwech fyw a throi allan yn geiliog bob un.

Ar ôl gadael ysgol, yr Aelwyd oedd y prif weithgaredd i'r ifanc a deuai'r aelodau o gylch pur eang yn rheolaidd ar nos Lun ac yn amlach fel y byddai'r eisteddfodau'n agosáu.

Datblygodd cyfeillgarwch agos iawn rhyngof a Tegwyn o Gemaes Road (Glantwymyn fel y'i gelwir heddiw). Roedd Tegwyn yn gweithio ym musnes ei deulu a oedd yn adeiladwyr a threfnwyr angladdau a minnau ym musnes fy nheulu yn gwneud beddfeini. Od, yndê? Byddai'r ddau ohonom yn perfformio eitemau ysgafn gwreiddiol yn nosweithiau llawen yr Aelwyd, er enghraifft cyflwyno darn o farddoniaeth megis 'Hon' ('Beth yw'r ots gennyf fi am Gymru?') mewn ffordd ysgafn, gellweirus.

Roedd nifer fawr o ddramâu un act, nosweithiau llawen ac ati a byddem yn mynd o amgylch yn perfformio a chael llawer o hwyl. Buom yn cynnal noson yn Llundain i Gymry'r ddinas un tro a thrannoeth roedd Cymdeithas Cymry Llundain wedi trefnu taith fws i ni i weld rhyfeddodau'r ddinas gyda thywysydd o Sais. Dyn bach rhyfedd iawn oedd y tywysydd, roedd ganddo het od iawn a llais rhyfeddach. Pan ddechreuodd siarad aeth pawb i chwerthin ac fe wylltiodd y dyn bach yn gaclwm. Dyma Elwyn Davies yn cymryd y meic ym mlaen y bws ac yn dweud, 'Wel dow, bois bach, triwch beidio chwerthin. Dw i'n gwbod i fod o'n hen ddyn bach rhyfedd.' Yna troi at y dyn bach a dweud, 'I'm just saying how much we're enjoying your tour.' Os oedd yna chwerthin cynt roedd yna chwerthin wedyn yn siŵr. Cerddodd y dyn bach allan o'r bws a chafwyd tywysydd arall.

Nid wyf yn honni fy mod yn arlunydd ond mae yna un llun y bûm â rhan fawr yn ei greu, neu efallai mai ei 'ail-greu' fyddai'r term cywir. Un noson wedi dychwelyd adref o'r Aelwyd tua hanner nos, dyma alwad ffôn gan Elwyn Davies, arweinydd yr Aelwyd, 'Wel dow, Hedd, mae gen i broblem fawr. Allwch chi ddod draw rŵan?' ac i

Lwynffynnon yr es ar fy union. Ar fwrdd y gegin roedd yna lun o Fynyddog, un o enwogion Llanbryn-mair – llun a fu ar wal y neuadd bentref ers dros hanner canrif. Y noson honno roedd rhywun yn yr Aelwyd wedi penderfynu y byddai'n syniad da rhoi iddo sbectol a chetyn yn ei geg. Aethai Elwyn a Nest â'r llun adref ac wrth gael gwared â'r ychwanegiadau roedd Mynyddog druan wedi diflannu hefyd. Diolch i'r drefn, roedd yna drumwedd ohono i'w weld o hyd ac mi es ati, gyda'r cymorth neu'r anfantais o gael Elwyn wrth fy ysgwydd, i ail-greu'r hen Fynyddog. Mae o'n dal yn y Ganolfan heddiw a fawr neb yn gwybod am y noson helbulus honno yn ei hanes.

Pan oeddwn tua deunaw oed aeth Tegwyn a minnau i wersyll gwaith yng Nglan-llyn. Y nod gan yr Urdd oedd cael criw o rai fel ni oedd yn gwneud gwaith ymarferol i helpu gydag addasu adeiladau, peintio, adeiladu canŵod ac ati. Cawsom lawer o hwyl a chwmnïaeth a soniaf ragor am hyn yn y bennod 'Glan-llyn a Thaith Ganŵ'.

Wedi hyn, roedd y ddau ohonom yn mynd i'r gwersyll fel swyddogion am bythefnos bob haf a hefyd o nos Wener hyd nos Sul yn aml iawn. Roedd hyn, o edrych yn ôl ar y cyfnod, yn lledu ein gorwelion yn yr un modd ag y gwna coleg i fyfyrwyr, a bu'n gyfnod amhrisiadwy i ni'n dau a llawer o rai eraill. Gan amlaf byddai Tegwyn yn trefnu teithiau cerdded a minnau'n trefnu rhaglenni nos. Tomi Scourfield oedd y pennaeth i ddechrau ac yna, am flynyddoedd, Elwyn Huws; Anti Myra (Myra Rees o Glydach) yn gogyddes a Gwen o Lanuwchllyn yn ei helpu; Huw Ceredig yn swyddog lampau, Crinc (John Hughes o Grymych) yn swyddog cychod, Peter John yn swyddog na wyddai neb beth oedd o'n ei wneud a Bob sir Fôn yn rhyw fforman ar bawb.

Cyfnod oedd hwn na fuaswn wedi'i golli am y byd; hwyl, chwarae castiau a gwneud ffrindiau oes ledled Cymru. Dyma rai atgofion o'r cyfnod:

Roedd y gwersyll cyfan yn mynd i'r Hen Gapel bob nos Sul. Un tro roedd yno bregethwr digon diflas yn sôn am y crancod ar waelod y môr ac yn eu cymharu â rhai pobol. Wedi dod allan o'r capel, dyma Iorwerth John Hughes o Grymych yn dweud, 'Tipyn o hen grinc oedd e hefyd', a Crinc fu'r enw gan bawb trwy Gymru ar John o hynny allan.

Ar nos Sul arall yn yr Hen Gapel, eisteddai Tegwyn a minnau wrth ochor Anti Myra ar y galeri ac yn nhawelwch y capel daeth yn amlwg fod staes Anti Myra'n gwichian wrth iddi anadlu. Amhosib oedd peidio â chwerthin am y sefyllfa a hyn yn hel mwy i chwerthin, a mwy wedyn, nes yr oedd pawb bron yn chwerthin a dim ond rhyw un neu ddau ohonom wrth ochor Myra oedd yn gwybod pam.

Cyhoeddodd Elwyn amser te un prynhawn Sul na fyddem yn mynd i'r Hen Gapel y noson honno ond yn hytrach i Gapel Tegid, y Bala, am fod, yn ei eiriau ef, bregethwr mawr iawn yno y noson honno. Aeth hanner y gwersyllwyr mewn hen gwch achub ar y llyn a'r hanner arall yn eu ceir. Wedi cyrraedd, a'r gwersyllwyr ifanc yn llenwi'r galeri, dyma'r Parch. John Roberts, Wrecsam yn dod i mewn o'r ystafell gefn – dyn bychan, bychan a ddiflannodd o'r golwg wedi iddo eistedd yn y pulpud. Yna, safodd ar focs i gyflwyno'i bregeth. Gellwch ddychmygu ymateb y criw ifanc o wersyllwyr i'r sefyllfa. Mae'n siŵr iddo yntau gael syndod o weld cymaint o bobol ifanc yn y capel, ac efallai ei fod wedi penderfynu pregethu i ni'n benodol. Ei destun oedd yr *Highway Code* ac yna cloi trwy ddweud mai'r Beibl oedd y gwir *Highway Code*. Go brin fod yna yr un o'r gwersyllwyr ifanc hynny nad yw'n cofio'r bregeth syfrdanol honno.

Ni fûm erioed yn gapelwr mawr ond rwy'n cofio ambell bregeth fel yr uchod yn glir. Un arall oedd pregeth gan Jiwbili Young ym Mhenffordd-las, a phregeth Idwal Jones ar y radio am Tomi Bach. Ond ar y cyfan traddodiad a gwneud yr hyn y teimlwn roeddwn i fod i'w wneud oedd mynd i'r capel i mi. Ond yn ôl i wersyll Glan-llyn ...

Y ciper ar Lyn Tegid oedd Albanwr o'r enw Mr Boyle a oedd yn byw yn y Bala. Bob haf, fe fyddai'n cyflogi rhywun i'w gynorthwyo gyda'i ddyletswyddau fel ciper ac roedd y swydd hon yn ddeniadol iawn i fyfyrwyr gan y byddent y medru treulio'u gwyliau haf yng Nglan-llyn a chael cyflog yr un pryd. Arferai llawer ymgeisio am y swydd yn flynyddol. Francis o Fangor a'i cafodd un flwyddyn ac yntau'n hollol gydwybodol ac yn awyddus i blesio'r hen Boyle. Tua deg o'r gloch un noson lawog, aeth Huw Ceredig draw i giosg yn Llanuwchllyn, ffonio Glan-llyn, gofyn am siarad efo Francis ac yn yr acen fwyaf Albanaidd dweud mai Mr Boyle oedd yno a bod amheuaeth fod gwahaniaeth rhwng lefel dŵr y llyn yn y Bala a Llanuwchllyn. Gofynnodd i Francis fynd i weld beth oedd lefel y dŵr ym mhen Llanuwchllyn a'i ffonio'n ôl. Francis druan heb feddwl dwywaith yn mynd yn y storm fwyaf dychrynllyd a ffonio Boyle i ddweud beth oedd lefel dŵr y llyn.

Ceredig (Davies) yn penderfynu ei fod am brynu cwch hwylio a'i gadw yng Nglan-llyn. Aeth dau neu dri efo Ceredig yn Land Rover y gwersyll a'r trelar i iard gychod ym Mhorthmadog. Roedd yno ddau gwch yr oedd Ceredig yn eu ffansïo, un a bŵm pren arno a'r llall â bŵm alwminiwm. Yr un â'r bŵm pren oedd y gorau ganddo, er y byddai wrth ei fodd pe tai bŵm alwminiwm ar hwnnw. Tra oedd Ceredig yn y swyddfa yn talu am y cwch, roedd ei fêts wedi newid y ddau bŵm a daeth y cwch yn ôl i Lan-llyn. Erbyn hyn roedd dyn yr iard gychod wedi ffonio, yn chwarae meri hel am iddo fynd â'r bŵm alwminiwm ac yn mynnu ei fod yn mynd â fo'n ôl ar unwaith, a chael yr un pren oedd i fod efo'r cwch a brynwyd. Paciwyd y bŵm mewn sachau a'i glymu'n ofalus ar ochor fan fini. Penderfynodd Ceredig gael cinio cyn mynd a thra oedd yn bwyta, newidiodd rhywun y bŵm am hen bolyn tent oedd yn union yr un hyd. Nid oedd Ceredig na dyn yr iard gychod yn hapus iawn pan gyrhaeddodd Borthmadog.

Roedd yna deithiau cerdded lle byddai gwersyllwyr yn mynd gyda swyddog neu ddau a oedd yn hollol gyfarwydd â'r daith. Un o'r teithiau hwyaf oedd o'r bont wrth Elusendy, Llanuwchllyn, tros y mynydd i gyffiniau Trawsfynydd. Aeth Huw Ceredig a minnau â deg o wersyllwyr ifanc ar y daith hon a'r ddau ohonom wedi gwneud hyn sawl tro cynt ac yn adnabod y ffordd yn iawn. Y tro hwn, a ninnau ymhell ar y mynydd, daeth y niwl i lawr ac ni fedrem weld fawr ddim. Collwyd y ffordd yn llwyr, a'r unig ateb mewn cyfnod pan nad oedd ffôn symudol oedd ceisio dod o hyd i ffos neu nant a'i dilyn, gan wybod y byddem yn siŵr o ddod i lawr i rywle. Roedd Huw'n llwyddo'n rhyfeddol i ddarbwyllo'r criw nad oedd panig er gwaethaf y sefyllfa. Gwyddem yn iawn y byddai'r Land Rover yn ein cwrdd yn Traws ac y byddai cryn bryder, ond ni allem wneud dim ond dilyn y nant.

Yna'n sydyn, daeth adeilad i'r golwg o'r niwl. Ie, tyddyn

mynyddig, a mwg yng nghorn y tŷ. Ni wyddem ble yr oeddem ond roedd pawb yn saff. Curo'r drws. Gwraig ganol oed yn ateb – wedi egluro'r sefyllfa rhaid oedd i'r deuddeg ohonom fynd i mewn. Roedd ei mam oedrannus yno a thra oeddem ni'n cynhesu wrth y tân roedd y bwrdd wedi'i osod – y cig moch a'r wyau'n cael eu coginio, a bara cartref a phaned o de poeth. Nid oedd ffôn ac nid oedd modd cysylltu â Glan-llyn, ond yr hyn oedd yn bwysig i deulu Hendre Blaen Lliw oedd ein bod yn ddiogel, yn gynnes ac wedi'n bwydo. Wedi'r wledd a'r croeso, darganfod fod John y mab wedi dod â'r Ffyrgi bach a'r gert at y drws i'n cludo ni i gyd yn ôl i Lan-llyn. Lle tebyg i Gwmpen, Llanbryn-mair ydoedd, a halen y ddaear o deulu'n byw yno.

Ie, rhyw le fel yna oedd Glan-llyn. Gallwn adrodd llawer o hanesion o'r cyfnod hapus hwnnw a'n gwnaeth i gyd yn ffrindiau am oes.

Penderfynodd yr Urdd gael rhyw wyth ohonom i fynd am wythnos i Eisteddfod yr Urdd fel staff tros dro a bu Tegwyn a minnau'n mynd am sawl blwyddyn. Ein dyletswydd ni oedd cefn y llwyfan a gweithio rhyw system fwyaf cymhleth, a gynlluniodd Huw Cedwyn, i adael i'r di-Gymraeg wybod beth oedd yn digwydd ar y llwyfan. Rhyw ffrâm enfawr ar gynllun ffenestr a thair ffrâm gyda manylion y gystadleuaeth a'r cystadleuwyr yn cael eu gyrru i fyny ac i lawr yn eu tro; goleuadau ar yr ochor yn cael eu rhoi ymlaen i ddangos cyntaf, ail a thrydydd; a theclyn fel ar flaen bws yn dangos rhif y gystadleuaeth. Erbyn heddiw byddai gliniadur yn gwneud y cyfan, a mwy.

Cawsom rai profiadau digon difyr yn yr eisteddfodau hefyd. Ym Mhorthmadog, a chriw ohonom, ddiwrnod neu ddau cyn i'r Eisteddfod ddechrau, wedi mynd i'r dre am ginio. Ar ein ffordd yn ôl i'r maes, cwrdd â pherchennog siop ddodrefn Quaecks yn cario tua hanner dwsin o gadeiriau. Tegwyn yn gofyn iddo, 'Dwedwch i mi, oes yna syrcas ymlaen yn y dent yna?' Wedi i'r hen gymeriad roi'r cadeiriau i lawr, cawsom ganddo hanes yr Urdd er dydd ei sefydlu gan Syr Ifan hyd at y diwrnod hwnnw.

Roeddem, wrth reswm, yn cael llety wedi'i drefnu i ni dros gyfnod yr eisteddfod ac ym Mrynaman cafodd Tegwyn a minnau le mewn rhyw siop sglodion. Wedi gweld y llofft dyma benderfynu nad oeddem am aros yno. Aethom i swyddfa'r eisteddfod ac egluro'r sefyllfa ond roedd pob man yn llawn a dim lle arall ar gael. Pwy oedd yn digwydd bod yn y swyddfa ar y pryd ond Bill Thomas, Trefnydd Ymarfer Corff efo Pwyllgor Addysg Maldwyn, a oedd yn beirniadu'r cystadlaethau ymarfer corff yn yr eisteddfod ac yn aros efo'i chwaer a'i frawd-yng-nghyfraith yn y Gwauncaegurwen Arms. Dywedodd Bill fod yna le i aros yno ond bod ei chwaer yn fethedig ac mewn cadair olwyn ac y buasai'n rhaid i ni wneud popeth ein hunain. Dim problem. Mynd yno efo Bill a chwrdd â Rhys a Magi Llewelyn, dau gymeriad gweddol oedrannus a hoffus dros ben. Roedd yno bob croeso i ni'n dau.

Y noson honno, wedi i bawb fynd i'w gwlâu, clywyd rhyw gynnwrf. Roedd Rhys yn sâl – galwyd meddyg, a daeth ambiwlans i fynd â Rhys i'r ysbyty. Roedd Magi'n bur bryderus a ninnau'n tri yn dweud y gwnaem ni bopeth i'w helpu. Am weddill yr wythnos âi Bill i feirniadu bob bore a rhedeg y bar efo Magi bob prynhawn, ac yna'r tri ohonom bob nos yn rhedeg y bar efo Magi yn ei chadair olwyn yn cadw golwg ac yn dweud beth oedd pris popeth.

Daeth Rhys yn ôl tua nos Iau ac ar y Sul roeddem yn troi am adref, wedi mwynhau'r profiad a'r croeso.

Yn Rhuthun, am ryw reswm, roedd y swyddfa wedi anghofio sicrhau lle i ni aros ac, wrth gwrs, roedd pob man yn llawn. Penderfynwyd cael pabell ddwbwl ar y maes – un o'r pebyll y mae masnachwyr a chymdeithasau'n eu llogi ar y maes yn ystod yr eisteddfod. Daeth y pwyllgor llety a chroeso â *camp beds*, stof, tecell a sawl peth arall ac roedd pawb yn hollol hapus. Erbyn bore drannoeth roedd rhywun wedi gosod arwydd ar y babell – Llety'r Hyrddod. Pell iawn o'r gwir, wrth gwrs, ond yno y bu dros y cyfnod. Mewn pabell arall ar y maes roedd Jim – Gwyddel a oedd yn gyflogedig gan gwmni J. P. Davies, Caer; y cwmni a logai'r pebyll i'r eisteddfod. Roedd yno ei hun tros y cyfnod i sicrhau fod popeth yn iawn ac roeddem ninnau'n ei adnabod yn iawn gan ei fod yn gwneud yr un gwaith ym mhob eisteddfod. Un noson, a ni fel criw wedi dod yn ôl yn eithaf hwyr i'n pabell a'r tecell ymlaen i wneud paned, pwy oedd yn cerdded heibio, wedi cael llond ei fol o gwrw, ond Jim. Dyma ei wahodd i mewn am baned. Ymhen ychydig, cyn i'r tecell ferwi, roedd Jim am fynd allan i wneud dŵr. Ar y maes hwnnw roedd yna nant fach yn llifo o un pen i'r llall, a ninnau'n meddwl ble roedd Jim? Oedd o'n iawn? Aeth Tegwyn allan i edrych amdano a'i gael yn sefyll wrth y nant yn mynnu nad oedd wedi gorffen ei dasg am ei fod yn dal i glywed sŵn dŵr yn llifo. Oni bai am Tegwyn gallai fod yn dal yno heddiw.

Roedd trefniadaeth yr Urdd ym Maldwyn yn un ran amser gyda thri threfnydd: y fi yng nghylch Bro Ddyfi, Caerwyn Evans yng nghylch Caereinion a Hilda Jones yng nghylch Myllin. Hen ferch oedd Hilda a oedd hefyd yn eithaf hen a'i hoedran yn gyfrinach fawr. Bron na allech ddweud mai'r Urdd oedd y peth pwysicaf yn ei bywyd. Roedd wedi bod y rhan o sefydlu'r Urdd gyda Syr Ifan yn 1922. Mynnodd ein bod yn ailsefydlu Taith y Berwyn, rhywbeth a ddigwyddai pan sefydlwyd y mudiad, sef bod aelodau'n cerdded i fyny'r mynydd o siroedd Dinbych, Meirion a Maldwyn a chael pnawn o adloniant ar ben y Berwyn, ac fe wnaed hyn am rai blynyddoedd. Un tro mentrais ofyn iddi beth oedd ei hoed, a'r ateb oedd: 'Dydw i ddim yn hen; yma erstalwm ydw i.'

Yn ystod un o deithiau'r Berwyn y cwrddais gyntaf â gŵr ifanc a oedd newydd symud i Lanfyllin yn weinidog ar gapeli'r fro. Bu'n canu ac yn cymryd rhan flaenllaw yn yr adloniant wrth stablau'r Berwyn. Elfed Lewis, neu Elfed Bach fel y'i gelwid gan bawb, oedd y gweinidog ifanc hwnnw. Oedd, roedd rhywbeth arbennig wedi cyrraedd Maldwyn pan ddaeth Elfed i'n mysg. Cyn pen dim roedd ganddo Aelwyd ym Mhen-llys, Aelwyd a ddaeth yn un o Aelwydydd gorau Cymru am ennill gwobrau mewn sawl maes yn yr Eisteddfod Genedlaethol yn flynyddol.

Yn fuan daeth yn drefnydd rhan amser i'r Urdd yng ngogledd y sir, a minnau yn y de. Roedd yn fyrlymus ac yn llawn afiaith bob amser. Un gwendid oedd ganddo: nid oedd amser yn golygu dim iddo ond mae'r amser a dreuliodd ef ym Maldwyn wedi gadael ei ôl ar genhedlaeth gyfan.

Roedd ei angladd ym Mhontyberem yn brofiad arbennig. Fred Jones yn cymryd y gwasanaeth a'r gynulleidfa enfawr yn ei dagrau ac yn chwerthin bob yn ail wrth deimlo'r golled a chofio'i bersonoliaeth. Bu'r hers yn aros am gryn hanner awr wedi'r gwasanaeth i bawb gael sgwrs, yn union fel y byddai Elfed wedi'i wneud, cyn mynd ymlaen i Ben-y-groes, Crymych, at y bedd. Lluniodd Gwilym Fychan englyn i'r achlysur:

Yr oeddem wrth dy roddi – yn y bedd,
  Elfed Bach, yn sylwi
  Fod alaeth ein hiraeth ni
  Yn niwlen dros Breseli.

6. Glan-llyn a Thaith Ganŵ

'Antur enbyd ydyw hon ...'

Do, fe fuon ni'n morio, ond nid mewn padell ffrio fel yn yr hen bennill gwirion yna yn yr ysgol. Roedd Syr Ifan yn nechrau'r pumdegau wedi sicrhau Plas Glan-llyn i'r Urdd rhywfodd neu'i gilydd – gwerin lle bu landlordiaeth a gormes; Cymru, Cyd-ddyn, Crist, lle bu Seisnigrwydd a militariaeth ac amaethwyr Penllyn yn gweld heulwen ddigwmwl tros Lyn Tegid o'r diwedd. Yn ogystal â'r newid delwedd roedd angen addasu'r lle'n wersyll. Gwyddai Syr Ifan beth i'w wneud.

Cafodd tua hanner dwsin ohonom wahoddiad i beth alwai'r hen Syr yn 'Wersyll Gwaith'. Ystyr y gair 'gwersyll' iddo fo oedd dim tâl, ac ystyr y gair gwaith oedd datblygiad. Ei ystyr i ni hogiau digoleg a dilefel A, a oedd yn gwneud gwaith ymarferol yn ddyddiol, oedd cyfle i gymdeithasu a thalu peth o'r ddyled oedd arnom i'r mudiad am y cyfan a gawsom yn ein hieuenctid a'n harddegau trwy weledigaeth y gŵr arbennig hwn.

Cwrdd am benwythnos yng Nglan-llyn; Syr Ifan a Huw Cedwyn yn trafod y cynlluniau efo ni a'r hen Syr yn rhoi'r argraff mai'n syniadau ni oedd datblygiad y lle ac yn medru'n troi ni rownd ei fys bach i dderbyn y syniadau oedd wedi corddi yn ei ben gryn amser cyn iddo sicrhau'r lleoliad i'r Urdd. Dyn fel yna oedd o – ail dad plant ac ieuenctid Cymru.

Bob penwythnos troi trwyn y fan fini am Lan-llyn. Codi cabanau pren – caban bwyta yn gyntaf yna neuadd a chwt lampau. Nid oedd Manweb yn ymwybodol o fodolaeth y lle. Peintio'r ystafelloedd a thwtio, adeiladu cwt cychod a jeti, a dim cychod yn agos i'r lle.

Un penwythnos yn mis Mawrth roedd rhywbeth anhygoel wedi cyrraedd – y Brenin Arthur; nid boi a fu ar goll ers canrifoedd, ond hen gwch achub o rywle, a hwnnw'n hŷn na Syr Ifan er bod oedran y ddau'n ddirgelwch i ni. Min nos Sadwrn wedi te, i lawr â ni am y Bala yn y Brenin, heb siacedi achub na gwybodeth am sut i drin cychod. Ond pwy oedd yn poeni am beth felly? 'Antur enbyd ydoedd hon ond Syr Ifan a'n deil o don i don', a dyna gychwyn mordeithio, neu lyndeithio, fel aelodau'r Urdd. Bu Syr Ifan a chriw o aelodau'r Urdd ar fordeithiau ymhell cyn ein geni ni ond nid y fo oedd â'i law ar y llyw y pryd hynny.

Y gwersyll yr un cyntaf. Ieuenctid o bob man yn mwynhau pob math o weithgareddau – chwaraeon, dawnsio gwerin, noson lawen, helfa drysor a charu ambell waith. Ambell daith ar y Brenin; medru cludo tua hanner cant i'r Bala neu Langywer am bicnic neu groesi'r llyn i ddal y trên. Llafur pleserus y gaeaf wedi talu ar ei ganfed wrth weld pawb yn mwynhau. Y cwt lampau a oedd yn paratoi'r lampau stabal at y nos a'r cwt sychu dillad gwlyb erbyn hyn wedi'i sefydlu fel y lle i gael ambell sws bach slei rhwng yr epilog ac amser gwely.

Yr unig gwmwl wedi wythnos yng Nglan-llyn oedd gorfod troi am adref fore Sadwrn a ffarwelio ag ambell gariad un-wythnos-yn-unig, neu gariad unnos, efallai.

Wedi'r epilog un tro, gafael yn ei llaw a cherdded i lecyn

tawel ar lan y llyn. Yn y tawelwch, y lleuad fel ninnau yn edrych i fyw llygad lleuad arall yn nŵr y llyn. Mentrais yn nes ati. Gofynnodd, 'A wnei di ganu i mi am y lloer cyn dweud Nos Da?' Nid canu oedd ar fy meddwl! Onid yw'n rhyfedd fel mae diddordeb yn gwahaniaethu rhwng person a pherson?

Un broblem oedd llyn mawr a dim cychod, ar wahân i'r *Brenin*. Roedd y *Brenin* angen llawer rhagor o aelodau yn ei lys a chafodd Syr Ifan afael ar ddwy sgiff, sef cychod hir a chwech yn eu rhwyfo, tebyg i'r cychod yn y ras rhwng Caer-grawnt a Rhydychen ond gellid dadlau fod y ddau gwch yma'n bod cyn Caer-grawnt a Rhydychen hyd yn oed, ond beth yw'r ots?

Rhaid oedd cael gwersyll gwaith eto, a'r tro hwn llawer mwy o aelodau. Yn hytrach nag addasu'r lle, adeiladu canŵod ar gyfer y gwersyll y tro hwn, drwy dderbyn hyfforddiant gan Elwyn Huws – llanc o Fôn a oedd, meddai o, wedi bod yn canŵio ar y Fenai ac mae'n debyg yr oedd hynny'n gymhwyster .digonol i hyfforddi'r criw. Oedd, erbyn mis Mawrth roedd yng Nglan-llyn frenin, dwy sgiff, deunaw canŵ a threlar i gludo'r canŵod.

Un o aelodau'r gwersyll gwaith adeiladu canŵod oedd Tegwyn o Benbedw neu Tegs Birkenhead i'w ffrindiau. Penderfynodd Tegs Birkenhead fod teithio ar foto-beic bach a gadwai sŵn fel cacwn geifr yn ormod o dreth arno bob penwythnos ac fe aeth o â'i ganŵ o Lan-llyn i Lerpwl i'w adeiladu mewn dosbarth nos. Do, fe lwyddodd i gwblhau'r gwaith ac yna roedd angen cludo'r campwaith o lannau Mersi i lan Llyn Tegid. Gan nad oedd cysylltiad dŵr nid oedd yn bosibl padlo yn y canŵ, ond cafodd syniad. Cynlluniodd harnes a oedd yn ei alluogi i roi'r canŵ ar ei gefn yn Lerpwl ac yna reidio'r moto-beic – efo'r canŵ ar ei gefn – drwy'r twnnel. Do, fe ddaeth allan yr ochor draw ond hanner ffordd trwy Benbedw penderfynodd y moto-beic fod hyn yn ormod o dasg, a thorrodd i lawr. Gadawodd Tegs y moto-beic yno a ffawdheglu efo'r canŵ. Cafodd lifft mewn lori i Gaer, trên o Gaer i'r Bala, cerdded o stesion y Bala at Gaffi'r Llyn ac yna i mewn i'r canŵ a phadlo ar hyd Llyn Tegid i gyrraedd Glan-llyn.

Cyn i'r gwersyll agor am yr haf cafodd criw'r gwersyll gwaith daith ganŵ o jeti Glan-llyn at Gaffi'r Llyn ac yna ar hyd afon Dyfrdwy. Gwersylla dwy noson mewn pebyll, cyrraedd Llangollen a chwrdd â Rofer-dir (Land Rover) y gwersyll a'r trelar a bws mini i'n cludo i gyd yn ôl. Taith lwyddiannus lawn hwyl. Roeddem yn bencampwyr canŵio, o leiaf yn ein tyb ni'n hunain.

Wedi setlo yn ôl yng Nglan-llyn y noson honno'n llawn brwdfrydedd, penderfynom ein bod ni am fynd i'r Cyfandir – i Sbaen – i ganŵio ar afon Sort ddechrau Gorffennaf y flwyddyn wedyn. Hon oedd yr afon i bobl broffesiynol fel ni. Byddai Elwyn yn trefnu taith bythefnos ac nid oedd unrhyw gwmwl yn tarfu ar hyder canŵ-wyr Cymreig yr Urdd. Fel hyn y bu:

Nos Wener, Gorffennaf 1957
Pawb yn cwrdd yng Nglan-llyn, y Rofer-dir yn barod a phebyll ac offer yn y cefn. Pedwar ar ddeg o ganŵod ar y trelar a bws mawr Tom Rhydlewis gyda nifer o'r seti cefn wedi'u tynnu allan i wneud lle i'r paciau personol a'r bwydydd a oedd wedi cael eu rhoi'n nawdd gan lawer o gwmnïau. Popeth i gyd *on deck*. Mae'n amheus a oedd Noa wedi gwneud y fath drefniadau ar gyfer ei daith o. Y

gwahaniaeth rhyngom oedd mai mwncïod ac ati oedd efo fo: roeddem ni'n aelodau o'r Urdd ac yn ganŵ-wyr profiadol, neu o leiaf dyna a gredem.

Dydd Sadwrn

Y peiriannau'n troi am hanner awr wedi chwech y bore. Elwyn a fi'n yrwyr y Rofer-dir a Tom a Nic wrth y llyw yn y bws, ac i ffwrdd â ni am Dover. Elwyn a fi'n gorfod stopio i newid lle. Tom a Nic yn newid heb stopio, pawb yn gweld heulwen pen y daith a neb yn gweld unrhyw gwmwl yn y ffurfafen. Y criw yn bwyta'r bwyd oedd ar y bws a ni'n dau yn byw ar siocled, minceg a thuniau cawl a oedd â'r gallu i gynhesu eu hunain. Cyrraedd Dover mewn da bryd, y Rofer-dir a'r bws ym mol y cwch mawr, i fyny'r grisiau ac i ffwrdd â ni. Capten Pugwash, neu Alun Beulah, am dynnu llun clogwyni gwynion Dover wrth hwylio allan. Chafodd o ddim ond lluniau hollol ddu – roedd wedi anghofio tynnu'r gorchudd oddi ar lens ei gamera. Cysgu fel moch ar lawr y cwch.

Dydd Sul

Gyrru, gyrru ar garlam i lawr trwy Ffrainc. Sylwi ar ambell ferch Ffrengig hawddgar wrth wibio trwy rai pentrefi a phendroni pam yn y byd nad oedd yna ferched mor ddeniadol â hyn yng Nghymru? Codi gwersyll ar odre'r Pyrenees, swper a chân neu ddwy cyn ymwthio i sach a mynd i gysgu.

Dydd Llun

Croesi'r mynydd a'r ffordd yn troelli yn ôl ac ymlaen o achos dyfnder y llethr. Teithio milltiroedd lawer i gyrraedd ychydig bellter. Aros ar y top am bicnic ac edrych i lawr ar y Ganaan neu'n hytrach Sbaen. Cyrraedd Sbaen, cael pryd allan mewn tŷ bwyta – pawb wrth eu bodd.

Dydd Mawrth

Dotio at dirwedd Sbaen. Ychydig oriau eto a byddwn wedi cyrraedd afon Sort. Roedd Elwyn wedi trefnu gwersyllfan wrth ymyl tref fach ar lan yr afon. A dyma ni yno; diolch am fod ar goll, yn bell o afonydd a llynnoedd llonydd Cymru. Rheolwr y maes gwersylla'n dweud fod maer y dref wedi trefnu noson o groeso i ni mewn gwesty a'i fod wedi gwahodd aelodau rhyw glwb ieuenctid lleol i ymuno â ni. Swnio'n dda a gobeithiol – nefoedd ar y ddaear.

Ymolchi ac am y gwesty; croeso mawr, bwyd hyfryd, ac roedd ei angen ar ôl y sothach a'n cynhaliodd ni ar y daith. Marian oedd ein cyfieithydd answyddogol am y deallai hi ychydig o Sbaeneg. Fe'i perswadiwyd i ofyn i reolwr y gwesty weini'r gwin i gyd mewn cwpanau y noson honno rhag ofn i Pugwash dynnu lluniau a'r rheini'n mynd i afael yr hen Syr wedi i ni ddychwelyd i Gymru. Os oedd merched Ffrainc yn ddel roedd y rhain yn wefreiddiol ond yn deall dim. Pam, felly, fod adar ac anifeiliaid yn deall ei gilydd heb siarad? Roedden nhw'n ddawnswyr da. Iori, a oedd yn hanu o Grymych, yn ceisio dweud wrth ferch lygatlas wallt golau ei fod yn athro gwaith metel yn Amlwch: 'Me professor clinc, clinc, clinc in Amlwch' a hithau'n edrych arno fel petai o wedi disgyn o blaned Mercher. Deallodd Marian fod rhai ohonynt yn bryderus amdanom yn mynd i ganŵio ar yr afon yfory, ond ni wyddent hwy am ein gallu.

Dydd Mercher

Codi, bwyta brecwast a'r afon yn edrych mor llonydd â Llyn Tegid. Elwyn yn penderfynu mai dyma'r cyfle i'r rhai lleiaf profiadol fynd ar y dŵr a'r gweddill i glirio'r llestri brecwast, paratoi brechdanau cinio i'r canŵ-wyr a phacio'r pebyll ar gyfer symud ymlaen. Ieu o Ruthun yn arweinydd ar y dŵr, Tom yn mynd â'r bws a phedwar ar ddeg o'r criw i'r man cychwyn a oedd rhyw ddwy filltir i fyny'r afon, a minnau'n mynd â'r Rofer-dir a'r canŵod. Cyrraedd, dadlwytho, Ieus yn arwain a phawb yn padlo'n braf ar afon Sort dawel a chyfeillgar.

Dychwelyd i'r gwersyll. Pawb mewn panig, yr afon mewn llif ond heb fwrw glaw; rhai wedi gweld darnau o ganŵod yn mynd yn y llif; rhedeg i fyny'r afon, cael rhai yn saff ar y lan, eraill ar greigiau, eraill yn sownd mewn canghennau coed yn nŵr yr afon. Ble roedd ein proffesiynoldeb erbyn hyn? Er bod yr awyr yn las ni welem ddim ond cymylau duon iawn yn hofran ym mhobman.

Roedd gennym dri ar ddeg yn ddiogel, pawb ond Ieus. Yn ôl i'r gwersyll, rheolwr y maes gwersylla'n dweud fod rhyw orsaf hydro-drydan yn gollwng dŵr i'r afon ambell waith ac mai dyna a ddigwyddodd. Ond ble roedd Ieus? Roedd Pugwash wedi tynnu llun y don enfawr a braidd yn sicr iddo weld person mewn canŵ yn y don.

I lawr yr afon â ni yn y Rofer-dir. Marian yn holi pawb ar bontydd a llawer wedi gweld canŵ yn mynd efo'r don. Un filltir ar hugain i lawr yr afon cawsom Ieus yn eistedd ar bont a'i ganŵ yn gyfan. Roedd wedi llwyddo i lywio ei ganŵ'n gyflymach na'r llif am y pellter yna cyn medru ei dynnu i'r lan. Oedd, roedd o leiaf un proffesiynol yn y criw.

Pawb yn saff, ciliodd y cymylau i gyd. Am lawenydd.

Dydd Iau

Brecwast, pacio'r Rofer-dir a'r bws ar gyfer taith tir sych, bron, ar draws Sbaen. Barcelona yw'r 'porthladd' neu'n hytrach ein hafan ddihangol am rai dyddiau cyn dychwelyd i hafan dyfroedd tawel Llyn Tegid.

Canol y prynhawn a phawb bron â chlemio, yn rhy flinedig i wneud bwyd, a dim caffi yn unman. Marian yn sôn fod yr arwydd wrth fynedfa fferm yn dweud 'Wyau ffres ar werth'. Stopio i brynu chwe dwsin o wyau, gosod y stof nwy fechan ar ochor y ffordd, torri'r holl wyau i sosban weddol fawr a gwneud, mi dybiaf, record y byd o wyau wedi'u sgramblo. Am wledd ddiflas. Ymlaen â ni, cyrraedd Barcelona, codi gwersyll a chysgu'n syth.

Dydd Gwener i Ddydd Mawrth

Mwynhau yn y ddinas – amgueddfeydd, golygfeydd, a rhai pethau nad yw plant yr Urdd i fod i'w gweld na'u gwneud, ond roeddem yn joio.

Ar y diwrnod olaf aethom i weld gornest ymladd teirw. Barbaraidd a chreulon, yr holl dorf yn cefnogi'r matadoriaid a ni i gyd yn cefnogi'r teirw. Rhaid oedd bod yn wahanol.

Dydd Mercher

Troi trwyn y cerbydau am Gymru a theithio drwy'r dydd. Ffarwelio â Sbaen a thri ar ddeg o ganŵod fel darnau jig-so ar lan afon Sort.

Dydd Iau

Diwrnod digon tebyg o drafeilio trwy Ffrainc ac yn hwyr y prynhawn, codi gwersyll yn Le Mont Saint-Michel.

Blinedig, a mynd am swper i westy. Elwyn, Tom, Nic a minnau am yfed lliwiau'r Urdd. Dim problem gyda'r gwin gwyn na'r gwin coch, ond bu'n rhaid craffu'n hir ar y silffoedd am rywbeth gwyrdd. Ei gael – beth bynnag oedd o – a fo oedd y bòs. Y lleill yn ein tywys yn ôl at y pebyll. Tom a Nic yn mynd yn ffyddiog i gyfeiriad y lleuad lawn yn y ffurfafen, gan gredu mai golau Ynys Enlli oedd o. Y ddau'n stopio'n stond dan bont reilffordd gan fod golau Enlli dan gwmwl. Gwyrdd yr Urdd yn stwff cryf a pheryg iawn.

Dydd Gwener
Dal y cwch mawr – mordaith hyfryd. Pugwash yn cael llun o glogwyni gwynion Dover o'r diwedd. O borthladd Dover am adref ar ein hunion. Cyrraedd Glan-llyn tua naw y nos, adrodd tipyn o'r hanes ond nid y cyfan.

Do, fe fuon ni'n morio, ond nid mewn padell ffrio.

7. Taith Ynys Hir (Skye)

Tua diwedd y pumdegau oedd hi a'r Urdd wedi trefnu taith efo llond bws mini i gerdded ar Ynys Hir. Elwyn o Fôn a Gwilym Trelái o Gaerdydd oedd i fod i arwain y daith a oedd i gychwyn yn gynnar fore Sadwrn a dychwelyd y Sadwrn canlynol. Ar y nos Iau cyn y daith, cefais alwad ffôn gan yr Urdd yn dweud fod profedigaeth yn nheulu Elwyn ac a fuaswn i'n fodlon arwain y daith efo Gwilym. Er nad oedd fy nhad yn orhapus imi adael y gwaith am wythnos, fe gytunais.

Cwrdd yng Nglan-llyn ar y nos Wener, llwytho'r pebyll a'r offer i gyd yn barod i gychwyn yn fore iawn drannoeth. Gwilym Trelái, un o gymwynaswyr mawr y Gymraeg yng Nghaerdydd ac enillydd Gwobr T. H. Parry-Williams erbyn hyn, yn sôn y nos Wener honno am ymweliad a gafodd ag Iwerddon a chwrdd â merch o'r Alban. Y cyfan a gawsom ganddo'r noson honno oedd sôn am 'Peggy', er nad oedd ganddo unrhyw syniad o ble yn yr Alban roedd hi'n dod.

Bore Sadwrn, cychwyn ar doriad gwawr am yr Ynys Hir, fi wrth y llyw a Gwilym yn y sedd flaen. Ymhen tipyn cyrraedd yr Alban ac os byddem yn gweld unrhyw ferch â gwallt melyn hir neu un â sgert gwta ('two inches below sea level', fel y dywedai Charles Williams) byddem yn gofyn, 'Peggy ydi honna, Gwilym?'

Yr adeg honno nid oedd pont i'r Ynys Hir a rhaid oedd

mynd ar y fferi, ac fe wyddem fod y fferi olaf yn croesi am saith o'r gloch. Gwyddem hefyd nad oedd fferi nac unrhyw fasnachu chwaith ar y Sul ar yr ynys. Roedd hi'n tynnu at saith a ninnau bron â chyrraedd Kyle of Lochalsh, a thanc petrol y bws mini bron yn wag. Ceisio penderfynu beth oedd orau, ai dal y fferi a gwybod na fedrem gael petrol ar y Sul ynteu aros tan fore Llun i groesi?

Wrth fynd i mewn i Kyle of Lochalsh roedd yna orsaf betrol efo caffi a siop ac ati. Dyma benderfynu ceisio cael petrol a dal y fferi. Canu'r corn a neb yn dod atom. Sylwais fod rhywun yn y caffi ac aeth Gwilym draw i ofyn am betrol. Pwy oedd hi ond Peggy, merch y lle.

Roedd hi'n adnabod bois y fferi. Cawsom betrol a swper a daeth criw'r fferi i'n croesi ni tua naw o'r gloch. Am gyd-ddigwyddiad. Cawsom bopeth ond chafodd Gwilym ddim gwraig.

Codi'r pebyll yn Sgilgachan yng nghanol yr ynys a threulio'r dyddiau'n cerdded a gweld y golygfeydd. Trodd un o'r bechgyn ei figwrn a bu'n rhaid i ni fynd i weld y meddyg – gŵr a oedd yn gymeriad, ac yn union fel Dr Finlay'r rhaglen deledu o ran pryd a gwedd. Yn hwyrach yn yr wythnos, a'r bechgyn yn chwarae reslo, aeth brwynen bigog i mewn i glust un ohonynt a dyna ail ymweliad â Dr Finlay. Pan oeddem yn mynd i mewn i'r feddygfa edrychodd arnom ac meddai, 'Why the hell don't you take up fishing as a hobby? Oh no, please don't, you would drown yourselves if you did.'

Mynd i Portree un diwrnod i gêmau'r Ucheldiroedd ac yn ystod y prynhawn, daeth cyhoeddiad ar yr uchelseinydd am i'r criw o Gymru ddod i gwrdd â llywydd y sioe. Gwraig fechan iawn o ran corffolaeth ond clamp o gymeriad, sef Dame Flora MacLeod of MacLeod, pennaeth llwyth y MacLeod, a hi oedd pennaeth olaf yr holl lwythau yn yr Alban. Gwahoddodd ni i gyd i ymuno â hi yn ei chartref, Castell Dunvegan, i swper y noson ganlynol. Profiad unigryw a saif yn ein cof tra byddwn, a chawsom bob i benwisg llwyth y MacLeods ganddi.

Dangosodd i ni'r castell a chawsom hanes y gwahanol lwythau a'r brwydro a fu. Yr Albanwyr yn brwydro ei gilydd tra oedd y gwir elyn yn meddiannu eu hetifedd-iaeth. Teimlaf weithiau fod hynny'n digwydd i ryw raddau yng Nghymru heddiw.

8. Yr Ysgol Uwchradd a Choleg Amwythig

Wedi'r *Eleven Plus* rhaid oedd troi ein golygon tuag at yr ysgol uwchradd. Dymuniad fy rhieni oedd fy mod yn mynd yn *boarder* i Ysgol Uwchradd Tywyn. Roedd adran breswyl i'r ysgol honno gyda'r bechgyn yn aros ym Mrynarfor a'r merched yn Nhrefeddyg.

Pymtheng mis bûm i ym Mrynarfor, sef blwyddyn a thymor. Pan gyrhaeddais roedd tua hanner cant o ddisgyblion yno ond pan oeddwn yn gadael rhyw ugain oedd ar ôl. Er bod fy rhieni'n credu mai dyma oedd yn iawn i mi yn un-ar-ddeg oed, rwy'n gwerthfawrogi eu bwriadau ond ni fyddwn yn dymuno i'm plant fod wedi cael yr un profiad. Atgofion i'w anghofio sydd gennyf o'r cyfnod hwnnw.

Yn ystod yr haf y llynedd, ymwelais â Thywyn a sylwi fod Brynarfor wedi'i chwalu a daeth y pennill hwn i'm meddwl yn syth:

> Mae Brynarfor wedi'i chwalu,
> Dim ond ei le sydd yno mwy,
> A'r staff maent wedi'u claddu
> Ym mynwent llawer plwy.
> Ond byw iawn fydd Brynarfor
> A'i holl atgofion o
> Nes bydd yr hogyn olaf
> Mewn bedd yn hedd y gro.

Yna, wedi cyfnod gartref oherwydd salwch, mynd i Ysgol Uwchradd Machynlleth neu Ysgol Bro Ddyfi fel y'i gelwir heddiw. Cyfnod pleserus iawn er nad oeddwn yn barod i ddysgu llawer ar y pryd. Syndod i mi oedd bod yr athrawon a oedd yno'n siarad Cymraeg y tu allan i'r ysgol ond yn siarad dim ond Saesneg y tu mewn. Mae'n debyg mai agwedd y cyfnod oedd hyn, a dim arall.

Do, ar y cyfan, mi ddysgais lawer yn Ysgol Machynlleth gan gynnwys dysgu smocio. Byddai Evan y Cefn yn gwerthu sigaréts am ddwy geiniog yr un wrth y pafiliwn ar y cae chwarae, ac rwy'n dal i gael mygyn hyd heddiw, mwyaf cywilydd imi.

Glyn Jones oedd y prifathro – gŵr yn hanu o Flaenau Ffestiniog ac yn dipyn o ffrindiau efo 'nhad.

Un tro, a minnau yn y pedwerydd dosbarth, penderfynodd pedwar ohonom roi arian mewn citi i brynu owns o faco, papur Rizla a pheiriant bach i wneud sigaréts yn siop Groves wrth gloc y dref.

Yna roedd gennym broblen fawr: sut y medrem eu rhannu? Yr unig ffordd oedd troi'r cyfan yn sigaréts ac yna eu rhannu. Roedd ein hamser cinio ar ben a rhaid oedd mynd yn ôl i'r gwersi. Cafodd Alun syniad gan fod gen i wers Hanes y prynhawn hwnnw a bod yna ddesgiau mawr a drôrs gweigion yn yr ystafell Hanes y buaswn i'n gallu troi y cyfan yn sigaréts yn y drôr yn ystod y wers. Coeliwch neu beidio fe gytunais.

Popeth yn mynd yn dda – hanner y baco yn y sigaréts a Thomas History newydd ddechrau sôn am Henry VIII, trodd yn ôl oddi wrth y bwrdd du'n sydyn a fy ngweld yn cau'r drôr. Daeth draw, agor y drôr a sefyll yn syfrdan fud am eiliad 'rôl gweld y dystiolaeth. Yna, casglodd y cyfan a

60

mynd â fi a'r dystiolaeth i ystafell y prifathro. Credwn fod fy nyddiau ysgol ar ben, ond rhaid oedd gwneud yr hyn a glywais Eirwyn Pontsian yn ei ddweud rai blynyddoedd yn ddiweddarach, 'Os cei dy hun mewn twll ceisia ddod mas ohono.'

Erbyn cyrraedd ystafell y prifathro roedd gen i stori er bod fy nghoesau'n crynu fel jeli.

Dangosodd Thomas y cyfan i Glyn Jones, ac edrychodd yntau'n syn ar y dystiolaeth ar ei ddesg wrth ochor paced o Capstan Full Strength a desgil lwch lawn a oedd ganddo fo. Ac meddai, 'You can go now, Mr Thomas, back to your class. I will deal with this.' Ciliodd Thomas o'r ystafell.

'Be sydd gennych chi i'w ddweud am hyn, Hedd?' gofynnodd.

Atebais, 'Mae yna focs lledr yn dal hanner cant o sigaréts gartref a'r geiriau hyn arno, "Those who smoke are cheerful folk", ac mae Dad yn cael ei ben-blwydd heddiw a doedd gen i ddim digon o bres i lenwi'r bocs â sigaréts parod, felly meddyliais am brynu baco i'w gwneud nhw gan obeithio y byddai'n ddigon i lenwi'r bocs.'

'Wel pam eu gwneud nhw yn y wers Hanes?'

'Am fy mod eisiau eu rhoi i Dad amser te, a dyna'r unig gyfle oedd gen i.'

Mi ges eitha row am eu gwneud yn y wers, yna meddai, 'Gan fod eich tad yn cael ei ben-blwydd, dowch yn ôl yma cyn dal y bws adref ac mi gewch chi'r cyfan yn ôl.'

Ac yn ôl yr es a'u cael, ond roedd arnaf ofn calon y byddai'n sôn wrth Dad am y peth.

Flynyddoedd yn ddiweddarach a minnau yn y busnes, a Glyn Jones wedi ymddeol, galwais mewn caffi ym Machynlleth am baned. Pwy oedd yno'n cael coffi ond

Mr a Mrs Glyn Jones. Eisteddais efo'r ddau am sgwrs, ac yn sydyn dyma fo'n gofyn, 'Ydach chi'n cofio'r sigaréts yn y wers Hanes, Hedd?' 'Ydw', meddwn a gwên euog ar fy wyneb. 'Roeddech chi'n meddwl fy mod i wedi'ch coelio chi, yn doeddech?' Nid oedd peryg y byddai wedi dweud wrth Dad.

Hoffwn petawn i wedi gwneud mwy o'm haddysg, ond dyna fo, mi wnes i fwynhau ym Machynlleth, a gadael heb sefyll unrhyw arholiad. Mae'n debyg mai dyna'r rheswm i mi aros gartref yn fy milltir sgwâr. Tybed a yw graddau ac ati'n niweidiol i'n cymunedau?

Wedi rhai blynyddoedd yn y busnes gyda fy nhad, yn 1957 ymunais â chwrs yng Ngholeg Arlunio Amwythig, dau ddiwrnod yr wythnos am ddwy flynedd. Cwrs City and Guilds mewn cerfio a llythrennu oedd hwn. Dal trên saith y bore yn Llanbryn-mair a chyrraedd adref ar y trên chwarter i naw'r nos.

Dau ohonom o fusnes beddfeini oedd ar y cwrs, bachgen o'r enw John White o Nantwich, a minnau. Y tiwtor oedd Harry Everington a bu'r addysg a'r profiad yn werthfawr iawn.

Daeth cais i'r coleg gan Eglwys Gatholig Amwythig am bedwar ar ddeg o blaciau llechfaen cerfiedig a oedd yn cyfleu taith Crist o Fethlem i'r Groes (*The Fourteen Stations of the Cross*). Roedd Harry am i ni ddefnyddio system na chlywais amdani na chynt na chwedyn, ond system drawiadol iawn. Cael y placiau llechfaen wedi'u chwistrellu'n ddu fel y caiff ceir eu chwistrellu, ac yna cerfio un dyfnder o'r cerfiad yn unig. Rhoi alcohol pur yn y cerfiad, gadael iddo sychu a pharhau i gwblhau'r cerfiad. Rhy hyn ansawdd a chymeriad arbennig i'r llechfaen a'r cerfiad.

Y trydydd plac ar ddeg oedd yn dangos Crist yn cario'r groes, a mynnai Harry, petai Crist yn ddyn o gryfder cyffredin, na fyddai'n bosibl iddo gario croes o faint yr un ar fryn Calfaria yn y plac o'r croeshoelio. Felly, yn y plac hwnnw, roedd Crist yn cario'r darn llorweddol o'r groes yn unig gyda mortais arno. Yn y cefndir roedd bryn ac arno'r darn syth o'r groes gyda mortais i'w weld yn glir arno, gan adael i'r sawl a'i gwelai weld y cysylltiad. Teimlem ein tri y byddai hyn yn rhoi rhywbeth ohonom ni yn y placiau.

Gwrthod y plac hwn wnaeth yr eglwys a bu'n rhaid i ni wneud un arall arferol.

Deuthum â'r plac gwrthodedig adref i'n gweithdy yn Llanbryn-mair, ac ymhen peth amser, galwodd y Barnwr Stable a oedd yn byw ym Mhlas Llwyn Owen heibio. Roedd wedi dotio ato ac aeth a fo i'w godi ym Mhlas Llwyn Owen. Hyd y gwn, mae'n dal yno heddiw.

Gŵr yn hanu o swydd Efrog oedd Harry Everington. Roedd yn anrhydedd cael fy hyfforddi a chydweithio â gŵr mor arbennig a oedd hefyd yn ffrind yng ngwir ystyr y gair. Yn y chwedegau symudodd o Amwythig i Goleg Celf Abertawe ac yn y saithdegau daeth yn bennaeth Coleg Celf Caerfyrddin. Yn 60 oed ymddiswyddodd o Gaerfyrddin a mynd yn fyfyriwr yng Ngholeg Cerflunio Henry Daulton ac yna, ar y cyd â'i gymar, sefydlodd Ysgol Gerflunio Frinks yn Stoke-on-Trent. Ysgol breifat oedd hon.

Bu farw yn y flwyddyn 2000 yn 71 oed ac mae ei waith yn fyd-enwog erbyn hyn. Fe'i dywedaf eto, braint oedd cael fy hyfforddi a bod yn gyfaill i ŵr mor arbennig.

9. Moto-beics, Ceir a'r EP

Oddi ar fy mhlentyndod bu gennyf ddiddordeb mewn moto-beics. Efallai fod y ffaith fod moto-beic gan Yncl Wil, Corris, ac Yncl John, Abergynolwyn, wedi chwarae rhan yn y diddordeb a chofiaf y wefr o gael reid efo nhw ar y piliwn.

Roedd sawl moto-beic yn Llanbryn-mair hefyd ond roedd yna un arbennig iawn i mi'n blentyn. Moto-beic Evan Foulkes oedd hwnnw. *Linesman* ar y rheilffordd oedd Evan Foulkes a byddai'n mynd heibio i'n tŷ ni ddwywaith y dydd ar y ffordd i'w waith ac ar y ffordd adref. Moto-beic â thanc sgwâr oedd hwn, a hynny, ar y pryd, a oedd yn ei wneud yn un sbesial i mi.

Pan oeddwn yn dair ar ddeg oed yn Ysgol Machynlleth ac yn cerdded un bore i gwrdd â bws yr ysgol, dyma Evan Foulkes yn pasio ar ei ffordd i'w waith. Wel, dyna siom. Roedd ganddo foto-beic tanc crwn fel pawb arall. Beth oedd hanes yr hen un, tybed?

Rai dyddiau'n ddiweddarach, yn yr ysgol, dyma Ralph y Felin yn gwahodd rhai ohonom i'r Felin y noson honno am fod ganddo rywbeth i'w ddangos inni. Beth oedd ganddo ond moto-beic tanc sgwâr Evan Foulkes.

BSA 250 o'r flwyddyn 1931 oedd y beic a chafwyd sawl noson ddifyr yn ei reidio ar y cae wrth y Felin yn y Pandy. Ymhen rhai dyddiau, yn yr ysgol, roedd Ralph eisiau gwerthu'r moto-beic ac yn gofyn £1 amdano. Ni allaf gofio pam roedd gennyf 10 swllt yn fy mhoced y diwrnod hwnnw, os nad oeddwn i fynd ar neges dros fy rhieni yn ystod yr awr ginio. Gwnes fargen efo Ralph, sef talu 10 swllt ar y pryd, dod i gasglu'r beic y noson honno a thalu'r 10 swllt arall.

Y noson honno, aeth criw ohonom i'r Pandy a gwthio'r moto-beic am ddwy filltir at ein tŷ ni. Yr unig wahaniaeth oedd ein bod yn reidio'r beic ar gae Penbont yn hytrach na'r cae wrth y Felin yn y Pandy. Ymhen amser, chwalodd yr injan a chafodd ei adael allan yng nghefn gweithdy fy nhad ond roedd y llyfr cofrestru yn saff gennyf.

Yn un ar bymtheg oed prynais Excelsior 197cc efo arian a gesglais trwy ddal a gwerthu cwningod. Erbyn hyn roeddwn yn reidio ar y ffordd, ac yn dipyn o foi. Pasiais fy mhrawf gyrru ym Machynlleth ar y cynnig cyntaf. Rhyw wythnos yn ddiweddarach, a minnau wrth y garej yn Llanbryn-mair, stopiodd Edwards y Tester ac meddai, 'Gelli di fentro dod yn ôl i drio dy dest eto fel y gwelais i ti'n reidio neithiwr.' Cefais gythrel o dafod ganddo ac fe wnaeth les mawr. Cefais sawl beic ar ôl hynny ac roeddwn dipyn callach wedi'r row gan Edwards.

Roedd yna gwmni o'r enw Pride and Clark yn hysbysebu'n rheolaidd yn yr *Exchange and Mart* ac roedd ganddynt anferth o restr o foto-beics ar werth, ac wedi i mi werthu'r Excelsior i rywun o Geinws, dyma brynu un – James 197cc – efo'r cwmni yma. Ymhen rhai dyddiau, cyrhaeddodd y moto-beic ar y trên i orsaf Llanbryn-mair. Roeddwn yn blês iawn gyda fo ac yn ystod y ddwy flynedd nesaf prynais tua phump gan y cwmni yma, rhai diddorol iawn. Yr un mwyaf diddorol oedd un o'r enw 'Corgi'.

Dyma beth oedd gan y *paratroopers* adeg y rhyfel. Byddent yn eu gollwng ar barasiwt o awyrennau i'w cludo o gwmpas. Plygai i fyny'n ddim o beth a gallech yn hawdd ei roi mewn cist car. Os oedd o'n werthfawr i'r *paratroopers*, roedd rhiwiau cefn gwlad canolbarth Cymru yn ormod iddo.

Un tro, ar y ffordd adref o Abergynolwyn, fe'i gadewais ar ochor y ffordd rhwng Tal-y-llyn a Chorris a ffawdheglu adref ac yna mynd i'w moyn yn y car gyda fy nhad. Dylwn fod wedi'i gadw. Tybed beth fyddai ei werth heddiw? Cofiaf fynd allan un nos Sadwrn efo Eirion a oedd yn byw yn Nhafolwern, ac wedi i ni gyrraedd adref tua hanner nos darganfod fod yna BSA Scrambler wedi cyrraedd oddi wrth Pride and Clark. Roedd hwnnw wedi'i hysbysebu gyda'r geiriau '*Straight off the track*'. Rhaid oedd cael ei brofi'n syth. Wedi peth anhawster i'w gychwyn, dyma fynd yn ôl a blaen trwy'r pentref a hynny yn nhawelwch y nos. Daeth Enoch Davies, y plismon lleol, ar ein gwarthaf a chafodd Eirion a minnau glamp o row ganddo ond nid aethom i'r llys. Un felly oedd Enoch Davies, plismon pentref go iawn. Cofiaf un tro i bedwar ohonom ar brynhawn Sul fod yn eistedd ar ganllaw pont y pentref pan ddaeth Enoch Davies draw a dweud y drefn yn hallt wrthym am fod ein crysau y tu allan i'n trowsusau a bod hynny'n dangos diffyg parch i'r Sul. Dyna beth oedd plismon pentref yn y cyfnod hwnnw.

Roedd Mam y bryderus iawn amdanaf efo'r moto-beics yma. Wedi i mi basio fy mhrawf gyrru car, cofiaf fy nhad yn erfyn arnaf i werthu'r BSA C15 a oedd gennyf ar y pryd am fod Mam mor bryderus, a dyna a wnes.

Y car cyntaf a brynais oedd Austin 7 dwy sedd a hwd

arno. Nid oedd yn mynd ar y pryd ond wedi gwneud tipyn i'r injan fe'i cafwyd i fynd a rhaid oedd cael mynd am dro ynddo. Fe aeth yn rhyfeddol i lawr i Gemaes Road ac yna dechreuodd yr injan fethu a bu'n rhaid troi'n ôl am adref. Yng Nghomins-coch roedd yn rhaid tynnu i fyny o'r pentref at bont y rheilffordd, ac roedd y rhiw yma, er nad yn fawr, yn llawn gormod i'r Austin bach. Fel roeddem yn araf ddringo'r rhiw, dyma Len Bach yn ein pasio ar gefn beic ac yntau'n mynd i fyny'r rhiw ac wrth basio'n dweud, 'Gwertha'r blydi thing!'

Wedi i mi basio fy mhrawf gyrru car roeddwn yn cael benthyg Austin A40 fy rhieni i fynd i Fachynlleth ar nos Sadwrn ar yr amod mai dim ond i Fachynlleth y byddwn yn mynd. Un penwythnos roedd merch o Lanbryn-mair yn mynd i aros efo'i chyfnither yn ardal y Bala ac roedd trefniant y buaswn yn ei chwrdd yn y Bala y nos Sadwrn honno. Roeddwn wedi casglu'r arian petrol ac yn barod am y siwrne. Y broblem fawr oedd tybed a fyddai fy nhad wedi sylwi beth oedd cyfanswm y milltiroedd ar *speedometer* y car gan fy mod yn amau ei fod yn gwybod beth oedd yn yr arfaeth. Cychwynnais am y Bala ac wedi trafeilio 22 milltir, datgysylltu'r *speedometer* a'i roi'n ôl ar ôl cyrraedd adref.

Wrth deithio drwy Ryd-y-main, dyma gwrdd â Gwilym Rhys, Llangurig, ffrind i'm tad ac roeddwn yn meddwl y buasai'n siŵr o alw ym Mrynmeini ar ei ffordd adref, a dyna a wnaeth.

Bore drannoeth roedd fy nhad yn siomedig iawn ynof, nid am fy mod wedi mynd i'r Bala ond am dwyllo gyda'r *speedometer*. Yr ateb i mi oedd cael fy nghar fy hunan. Roedd gen i £120 mewn cyfrif yn y Swyddfa Bost, a'r prynhawn Sul hwnnw aeth Tegwyn a minnau i chwilio am gar. Mewn garej yn y Drenewydd roedd yna Triumph Mayflower, a'i bris oedd £120. Wedi egluro'r sefyllfa i ddyn y garej, dywedodd wrthym am fynd i geisio cael yswiriant i'r Triumph. Os medrem gael yswiriant am £10 neu lai, ei gymryd ac yna mynd yn ôl i'w weld. Cawsom yswiriant am £8 ac fe aethom yn ôl nos Lun. Cymerodd £105 am y car fel bod gennyf £8 ar ôl i'm henw. Bu'n gar da iawn ac yn un prin iawn hefyd. Buaswn yn falch petai'n dal gennyf heddiw. Cefais lawer o geir ers hynny ond mae'r Austin 7 a'r Triumph yn dal yn fyw yn y cof.

Fel y cofia'r rhai hŷn, roedd cerbydau wedi'u cofrestru gyda dwy lythyren i bob sir, ac i ryw raddau gallech ddweud wrth gwrdd cerbyd o ble roedd yn dod, er enghraifft EY – Sir Fôn; JC – Arfon; FF – Meirion; EJ – Ceredigion ac EP – Maldwyn ac yn y blaen.

Yn 1971 daeth terfyn ar y dull hwn o gofrestru cerbydau. Roedd hyn yn ofid mawr i mi am ein bod yn colli ein hannibyniaeth a phenderfynais fynd i weld Emlyn Hooson, ein Haelod Seneddol, i erfyn arno i geisio cadw'r hen drefn o gofrestru cerbydau. Dywedodd nad oedd dim y gellid ei wneud ond fe adroddodd hanes diddorol iawn wrthyf.

Ddiwedd y bedwaredd ganrif ar bymtheg, aeth gŵr o'r enw Edward Powell, aelod o deulu Powell y bragwyr yn y Drenewydd, i weithio i gwmni cynhyrchu ceir Daimler yn Coventry. Dringodd Edward Powell yn weddol uchel oddi mewn i'r cwmni. Penderfynodd y Llywodraeth fod angen cael system o gofrestru cerbydau, a'r hyn a wnaed oedd gofyn i'r ychydig gwmnïau a oedd yn cynhyrchu ceir ar y pryd i argymell ffordd o wneud hyn. Gofynnwyd i Edward Powell wneud hyn ar ran cwmni Daimler, ac ef ddaeth â'r system o ddwy lythyren a 9,999 o rifau i bob sir. Roedd y tu hwnt i bob dychymyg y byddai yna fyth mwy na deng mil o gerbydau yn un o'r hen siroedd hyn. I gydnabod ei waith, rhoddodd y Llywodraeth y rhifau EP 1 i EP 10 yn rhodd i Edward Powell. Wrth anfon ei ddiolch am y rhifau, dywedodd y byddai'n gwerthfawrogi'n fawr pe bai EP yn cael ei roi i'w sir enedigol, sef sir Drefaldwyn. Eglurodd Emlyn Hooson hefyd ei fod ef wedi sicrhau mai EP fyddai ar ei gerbydau ef, sef LEP 1 a PEP 1.

Os yr oedd Maldwyn yn golygu cymaint i Edward Powell roedd yn golygu cymaint i mi hefyd ac mi drefnais fod rhif yr hen BSA 250, tanc sgwâr, 1931, a brynais gan Ralph am £1 yn cael lle anrhydeddus ar fy nghar innau tra byddaf.

Ers i mi roi'r rhif EP 5522 ar fy nghar rwyf wedi cael llawer cais i'w brynu. Beth feddyliech yw'r diddordeb ynddo? Elvis Presley yw'r ateb.

Yng nghanol yr wythdegau digwyddais brynu papur y *Shropshire Star* un nos Sadwrn a gweld yno hysbyseb am BSA 250, C15, 1954, yr un model yn union â'r un diwethaf fu gennyf. Daeth y chwilen moto-beics yn ôl. Roedd arnaf ofn sôn gair wrth Marian, y wraig, ond rhaid oedd ffonio i weld beth oedd ei hanes. Gan ŵr yn Amwythig yr oedd y beic, wedi'i adnewyddu fel newydd. £600 oedd y pris. Roedd y demtasiwn yn ormod ond gwyddwn beth fyddai ymateb Marian petawn yn sôn am y peth. Ni chysgais drwy'r nos a bore drannoeth dywedais fy mod am fynd i Amwythig i arddangosfa moto-beics. Roedd y £600 yn fy mhoced. Ni allwn fynd â'm trelar gan y byddai hynny'n rhy amlwg. Benthycais drelar gan Dei Llawrcoed ar y ffordd yno. Cyrraedd y tŷ yn Amwythig a'r BSA yn ei ogoniant wrth ddrws y ffrynt. Cefais reid arno a cholli arnaf fy hun yn llwyr. Colin Davies, y perchennog, yn trafod yr adnewyddu a chefndir yr hen feic. Rhaid oedd ei brynu a wynebu'r sefyllfa ar ôl mynd adref.

Cyrraedd Llanbryn-mair tuag un o'r gloch. Roedd y byd ar ben. Marian yn dweud y buaswn yn lladd fy hun; Nia a hi yn crio. Wrth gwrs, erbyn meddwl, doedd yr un ohonynt wedi fy ngweld ar foto-beic o'r blaen. Yng nghanol y cynnwrf daeth Rhys, y mab, a Bethan – cariadon oeddynt bryd hynny – o rywle. Dyma Bethan yn cael yr ateb ac meddai, 'Dyma beth wnawn ni, mi awn ni i gyd i lawr i Aberdyfi i gael te yn y caffi bach yna rydech chi'n hoff ohono, Marian. Hedd ar y moto-beic a ninnau i gyd yn y car y tu ôl iddo.' A dyna a wnaed.

Cyrraedd Aberdyfi, parcio'r car a'r beic wrth ei ochor, a Marian yn gofyn, 'Wyt ti'n meddwl fod y beic yn saff yn y fan yna? Be tase rhywun yn ei ddwyn?' Roedd y broblem wedi'i datrys a minnau wedi pasio fy mhrawf gyrru moto-beic am yr ail dro.

Y bore Llun canlynol, gofynnais i Heulwen, y ferch oedd yn gweithio yn swyddfa'r gwaith, anfon llyfr cofrestru'r beic yn fy enw i'r DVLA yn Abertawe. Un lawn castiau oedd Heulwen ond ni feddyliais i ddim ar y pryd.

Y bore Iau canlynol, Heulwen yn ateb y ffôn yn y gweithdy ac yn dweud, 'Rhywun i chi, Hedd.' Y Sais yma'n holi oedd gen i foto-beic rhif KFF 518 a minnau'n cydnabod hynny. Eglurodd ei fod o'r Weinyddiaeth Drafnidiaeth a'i fod wedi ceisio cael gafael yn y beic hwn ers rhai wythnosau. Dywedodd fod Colin Davies, y gŵr a werthodd y beic i mi, wedi'i arestio ac y byddent yn dod i gasglu'r beic drannoeth. Roeddwn yn wyllt benwan erbyn hyn. Eglurodd y dyn mai'r gŵr a fyddai'n dod i gasglu'r beic oedd Mr Dicky Bow ac y byddai Miss Beverley Hills yn dod i gael datganiad gennyf. Roeddwn wedi gwylltio cymaint fel na welais trwy'r enwau rhyfeddol yma.

Ie, *wind-up* ar Atlantic 252. Pwy fuasai'n meddwl am y fath beth? Neb ond Heulwen. Cawsom lawer o hwyl am hyn wedyn, ac fe enillais y *'wind-up of the month'* a chael potel o siampên i ddathlu gyda'm ffrindiau.

Cefais bum mlynedd ar hugain o bleser efo'r BSA yn teithio canolbarth Cymru, a hefyd gyda ralïau Clwb Robin Jac o Lanuwchllyn. Mae'r beic bellach yn rhan o gasgliad o hen foto-beics sydd gan y rasiwr *speedway* Dyfed Evans yng Ngheredigion gan mai fi aeth yn rhy hen yn y diwedd.

10. Y Busnes

Fel y cyfeiriais eisoes, prynodd fy nhad y busnes beddfeini a symud i Lanbryn-mair yn 1938. Lai na blwyddyn yn ddiweddarach dechreuodd yr Ail Ryfel Byd. Doedd fy nhad, ar sail prawf meddygol, ddim yn cael ei alw i'r fyddin ac felly'n dal gartref yn y busnes.

Yn fuan, darganfu broblem enfawr. Oherwydd y rhyfel a'r galwadau i wasanaeth milwrol roedd llawer o'r chwareli ym Mhrydain wedi cau ac roedd y mewnforio wedi'i atal hefyd. Golygai hynny nad oedd yn bosibl cael cerrig i mewn i redeg y busnes. Yn 1941, penderfynodd fy nhad fynd i ddociau Lerpwl i weld a oedd yno gerrig yn sefyll ar y dociau y gallai eu prynu. Yno bu iddo gwrdd â John Braithwaite, perchennog busnes beddfeini yn Darwen, Lancashire, a oedd yno ar yr un perwyl. Tros baned mewn caffi yno, daeth y ddau i gyd-ddealltwriaeth ar gynllun yn wyneb eu problem.

Gan fod cymaint o wŷr oedd â busnesau beddfeini wedi'u galw i'r rhyfel, gellid mynd o amgylch a phrynu'r stoc a oedd yn sefyll yn y busnesau hynny – byddai hyn yn rhoi stoc iddynt hwy a hefyd yn rhoi incwm i wragedd a theuluoedd y rhai oedd wedi'u galw i'r rhyfel.

Aeth fy nhad o amgylch Cymru a John Braithwaite o amgylch gogledd Lloegr. Gweithiodd y cynllun yn dda iawn. Mae gen i gof plentyn am ddarn o dir wrth ein tŷ ni yn orlawn o feddfeini. Galluogodd hyn y ddau fusnes i weithredu a hefyd bu gwerthu cyfanwerthol i fusnesau eraill a oedd yn dal ar agor trwy gyfnod y rhyfel.

Wedi'r rhyfel aeth busnes Braithwaite i weithredu'n gyfanwerthol yn unig ond daliodd busnes fy nhad i weithredu'n uniongyrchol â'r cyhoedd fel cynt. Yn naturiol felly, o hynny allan, gyda chwmni Braithwaite y buom ni'n cael bron y cyfan o'n marmor a'n gwenithfaen. Bu cysylltiad agos iawn rhwng John Braithwaite a'm tad a rhyngof fi a Ken, ei fab, ar hyd y blynyddoedd.

Yn 1954 y bu i mi adael yr ysgol yn 15 oed a mynd i weithio gyda fy nhad yn y busnes. Cofiaf y bore Llun cyntaf hwnnw'n dda; roeddwn wedi cael oferôl glas newydd i fynd i'r gwaith a'r dasg gyntaf i mi oedd gwneud maen llifo newydd i fferm Tŷ Isaf, Llanbryn-mair. Aeth fy nhad â fi i Dŷ Isaf i fesur ffrâm a maint y twll sgwâr yn yr hen faen llifo. Ar y ffordd yn ôl stopiodd fy nhad i siarad efo Richard Jones, Minffordd a hwnnw'n dweud, 'Newydd glywed ar y radio rŵan fod Ronald Harries wedi'i grogi yng ngharchar Abertawe'. Roedd hanes Ronald Harries wedi bod yn flaenllaw iawn yn y papurau ers misoedd lawer am iddo lofruddio ei ewyrth a'i fodryb ar fferm ym Mhentywyn. Credaf mai ef oedd yr olaf i'w grogi yng Nghymru. Am ddau reswm gwahanol iawn mae'r bore hwnnw wedi'i selio ar fy nghof.

Yn ôl at y maen llifo. Cychwyn efo slab mawr 4 modfedd o drwch o dywodfaen (*sandstone*), yna ei naddu i fod yn gylch cywir 30 modfedd ar ei draws a thwll sgwâr 2 modfedd yn ei ganol i gymryd yr echel. Parhaodd y gwaith y rhan fwyaf o'r wythnos gyntaf honno i mi. Roedd Jarman, Tŷ Isaf, yn hapus efo'r gwaith, a dyna'r unig faen llifo i mi erioed ei wneud.

Yn y cyfnod hwnnw dim ond fy nhad a minnau oedd yn y busnes ac yn fras, doedd dim llawer mwy na chŷn a morthwyl gennym, a'r adeilad fawr mwy na garej un car arferol. Byddem yn gwneud yn dda i droi allan un beddfaen yr un yr wythnos.

Yna yn 1957, fel y soniais eisoes, mi es i Goleg Arlunio Amwythig ddau ddiwrnod yr wythnos, am ddwy flynedd, i ddilyn cwrs mewn llythrennu a cherfio gyda thystysgrif City and Guilds ar ei ddiwedd. Dau ohonom yn unig oedd ar y cwrs, John White o Nantwich a minnau, Harry Everington a oedd yn ein hyfforddi a ddaeth yn ddiwedd-arach yn enwog iawn fel cerflunydd.

Yn 1960 ymunais mewn partneriaeth â'm tad yn y busnes, yna agor gweithdy arall ym Machynlleth. Yn Ionawr 1964, ymddeolodd fy nhad a minnau'n cymryd yr awenau ac yn cyflogi bachgen yn amser llawn.

Erbyn mis Mai roeddwn yn amau a oeddwn wedi cymryd y cam iawn. Y sefyllfa ariannol oedd fy mhryder ac nid oeddwn am fynd ar ofyn fy rhieni yn eu hymddeoliad. Roedd swydd yn cael ei hysbysebu am drefnydd yr Urdd yn sir Ddinbych; roeddwn wedi bod am gyfnod yn rhyw lun o drefnydd rhan-amser ym Maldwyn a hefyd wedi gwneud llawer efo'r Urdd a'r gwersylloedd. Ceisiais am y swydd heb ddweud wrth fy rhieni, a chefais gyfweliad. Un o'r cwestiynau gan R. E. Griffith oedd, 'Petai i mi gael y swydd ac yna bod swydd trefnydd ar gael ym Maldwyn o fewn blwyddyn, a fyddwn i'n debygol o geisio am y swydd honno?' Fy ateb oedd, 'Byddwn.' Ni chefais y swydd yn Ninbych, diolch i'r drefn.

Gan mai dim ond y fi oedd yn gallu llythrennu roedd y gallu i gynhyrchu wedi'i dorri i'w hanner a'm tad, felly, yn gorfod dod yn ôl bron yn ddyddiol i gynorthwyo gyda'r gwaith llythrennu.

Galwodd Ken Braithwaite ym mis Medi 1964 ar ei ffordd i Aberystwyth. Roedd arddangosfa o beiriannau gwaith cerrig yn cael ei chynnal yno drannoeth yn yr hen Neuadd y Brenin. Ni wyddwn am fodolaeth y fath beth er ei bod yn cael ei chynnal yn flynyddol rhywle ym Mhrydain. Dywedodd Ken fod cwmni o'r Eidal yn arddangos peiriant llythrennu cerrig yno am y tro cyntaf.

Bu i mi berswadio fy nhad i ddod gyda mi i'r arddangosfa a meddyliais yn syth wedi'i weld mai'r peiriant yma oedd yr ateb i'm busnes ond roedd yn costio £1,200. Ond roedd yr un yn yr arddangosfa i'w gael am £950. Ni welai fy nhad fy mod ei angen ac yn fwy na hynny, fe'i gwelai fel rhywbeth a oedd yn fygythiad ac a fyddai'n mynd â'r crefftwaith o'r busnes. Gan nad oedd gennyf yr arian i'w brynu, rhaid oedd dod adref yn siomedig.

Galw yn y banc ym Machynlleth ar y ffordd adref a'r rheolwr yno'n gwrthod ymestyn fy ngorddrafft am fil o bunnau oni bai fod fy rhieni'n ei warantu. Annhebygol fyddai hynny o gofio agwedd fy nhad. Y noson honno bu trafodaeth fawr, Mam yn ffafriol ac erbyn y bore bu iddynt gytuno. Yn ôl i Aberystwyth ben bore, prynu'r peiriant er bod pryder mawr gennyf am yr hyn yr oeddwn yn ei wneud.

Wedi ei gael, medru llythrennu un gofeb y dydd – anhygoel – ac yn raddol trodd pethau i fod yn llawer mwy gobeithiol i mi yn y busnes.

Problem arall oedd ein bod mewn ardal mor wledig a'n dalgylch yn gyfyngedig, a chan mai pobl oedrannus, a gwragedd gan amlaf, yw cwsmeriaid busnes fel hyn sy'n cynnig gwasanaeth mor bersonol, eu dymuniad yw delio efo rhywun y maen nhw'n ei adnabod. Yng nghanolbarth Cymru roedd yna nifer o fusnesau beddfeini bychain yn cael eu rhedeg gan wŷr oedrannus, a gwelais gyfle a allasai fod o fantais i mi a nhw. Prynu eu busnesau, eu cau neu eu defnyddio fel ystafelloedd arddangos a nhw'n cael ymddeol, ond yn dal i werthu beddfeini fel asiantiaid i ni, a chael comisiwn ar y gwerthiant. Gweithiodd hyn yn dda iawn. Prynais tua saith busnes bach ac erbyn bod y cyn-berchnogion eisiau llwyr ymddeol, roeddem wedi sefydlu yn y cylch.

Mynychwn yr arddangosfa beiriannau gweithio cerrig yn flynyddol o hynny allan a mecaneiddio mwy ar y system o hyd, estyniad ar ôl estyniad ar y gweithdy nes yn y diwedd rhaid oedd cymryd cam mawr iawn – gweithdy newydd.

Yn 1979, cliriwyd yr holl safle a chodi adeilad 4,000 troedfedd sgwâr lle gallai *fork lift* weithio gyda pheiriannau eraill yn hwylus.

Yn yr arddangosfa yn 1987 roedd yna gyfrifiadur i lythrennu a cherfio cofebau – £18,500 – temtasiwn arall. Penderfynais ei adael am flwyddyn gan y tybiwn y byddai datblygiad pellach i'r cyfeiriad hwn. Yn yr Alban, y flwyddyn ganlynol, roedd yno saith system gyfrifiadurol ond er mor rhyfeddol eu gallu nid oedd yr un yn gwneud popeth a ddymunwn. Deuthum adref heb brynu ond gyda thaflenni.

Yr wythnos ganlynol, ar fy ffordd i Abertawe, prynais gylchgrawn cyfrifiadurol trwchus ym Mhont Abraham er na wyddwn fawr ddim am gyfrifiaduron. Wedi dychwelyd adref fe'i hagorais a gweld yr hysbyseb ryfeddaf a welais erioed:

'Would you like to computerise a business operation? If you do, consult us. We don't guarantee success but we guarantee a gallant effort. No success, no fee.'

A rhif ffôn.

Dyma alw'r rhif. Roeddynt yn Worksop ac am ddod i'm gweld yn syth. Gwrthodais hynny ond mi es i i'w gweld nhw. Wedi cyrraedd, dod o hyd i ryw siop gornel fach fwyaf diolwg, a meddwl mor wirion roeddwn i wedi bod i drafeilio'r holl ffordd i le a oedd yn ymddangos mor ddi-nod.

Wedi canu'r gloch, daeth hogyn ifanc tua 16 oed i'r drws a chanddo stydiau a modrwyau ym mhob man y gallasent fod. Es i mewn ac yno roedd yr hyn y buaswn yn ei alw'n *hippie dropout of the 60s*.

Cael coffi a sgwrs ac yn fuan deuthum i'r casgliad fod y ddau yma'n alluog tu hwnt. Eu gadael efo manylion o'r cyfan y dymunwn i'r system hon ei gyflawni, a hynny'n llawer mwy na'r hyn a oedd o fewn gallu unrhyw system a welswn yn yr arddangosfa yn yr Alban.

Ymhen pythefnos, cefais alwad ffôn yn dweud fod y system yn barod ac yn fy ngwahodd i'w gweld. Mi es a chael fy syfrdanu, roedd yn llawer gwell na'r disgwyl.

Yna fe ddaethant i Lanbryn-mair mewn car y byddech yn amheus o fynd i unman ynddo, gosod y cyfan i fyny ac aros efo ni am bedwar diwrnod o hyfforddiant.

Cefndir y ddau oedd eu bod wedi cael eu gwneud yn ddi-waith pan aeth rhyw gwmni cyfrifiadurol i'r wal ac yna aethant ati i sefydlu eu busnes eu hunain. Roeddynt wedi gwario pob ceiniog ac yn aros am alwad ffôn, ac fe ddaeth un o Lanbryn-mair o bob man.

Erbyn hyn mae'r hogyn ifanc yn gweithio i Microsoft yn America a'r *hippie dropout* â busnes enfawr yn cynhyrchu rhaglenni cyfrifiaduron ac yn cyflogi tua wyth deg o bobol. Maent yn dal i ofalu amdanom yn ein busnes ac yn ffrindiau arbennig. 'Nid wrth ei big y mae prynu cyffylog.'

Roedd Rhys, fy mab, wedi gadael Coleg y Drindod a mynd i fyd actio, wedi priodi ac yn byw yn Llanbryn-mair heb ryw lawer o ddiddordeb yn y busnes. Tua'r flwyddyn 2000, ac yntau'n ddi-waith ar y pryd, daeth atom i'r busnes i'n helpu am wythnos neu ddwy gan fod un person wedi'n gadael a minnau â llawer o waith ar y gweill. Ymhen ychydig dyma fo'n dweud, 'Fuaswn i ddim yn malio cymryd hwn drosodd.' Dyna'r geiriau gorau a glywais. Bu'r ddau ohonom yn rhedeg y busnes am gyfnod gyda'n gilydd a sefydlu adain arall o werthu'n gyfanwerthol i fusnesau eraill, a ffurfio cwmni cyfyngedig yn ein henw ni'n dau. Ymddeolais yn 2003, symud i fyw ym Mhenegoes a Rhys yn parhau'r llinach yn y busnes. Erbyn hyn, mae'n debyg mai hwn yw'r busnes beddfeini hynaf yng Nghymru. Bydd yn gant oed yn 2018.

Mae Rhys yn gwneud yn dda yn y busnes a Marian a finnau'n hynod falch o hynny.

Agorais fusnes bach arall yn niwedd yr wythdegau ar ôl prynu adeilad a oedd yn ymyl ein gweithdy. Busnes gwneud arwyddion oedd hwn a chyflogais ferch i'w redeg yn annibynnol ar y prif waith hyd fy ymddeoliad. Erbyn hyn mae'r adeilad hwn wedi mynd yn estyniad i'r prif fusnes a minnau'n gwneud ambell arwydd yn y garej gartref o ran diddordeb a chael rhywbeth i'w wneud i lenwi'r amser.

Wrth roi trem yn ôl tros fy nghyfnod o bron hanner can mlynedd yn y busnes beddfeini, mae llawer digwyddiad y gallaswn eu cofnodi yn dod i'r cof. Rhai sydd erbyn hyn yn ddigon doniol er difrifoldeb y sefyllfa ar y pryd. Bu i ni hefyd weithio nifer fawr o feddfeini i enwogion ein cenedl yn ogystal â chofebau yn eu man geni neu fannau perthnasol. Braint fawr oedd cael y gwaith hwn bob tro. Un digwyddiad a fu'n brofiad cofiadwy oedd hwnnw ynglŷn â chofeb ym mynwent Eglwys Treflys, ger Porthmadog. Roeddem yn cyflenwi beddfeini yn gyfanwerthol i fusnes beddfeini ym Mhorthmadog ac felly roedd cysylltiad agos rhyngof a'r perchennog. Rhyw ddydd Sadwrn aeth Marian a minnau am dro i Port, Marian i siopa a minnau heibio'r gweithdy beddfeini am baned a sgwrs. 'A wnei di gymwynas â mi?' meddai'r perchennog. 'Mae yna deulu yma sy'n mynnu eu bod yn cael cofeb o farmor gwyn mewn mynwent eglwys ac, fel y gwyddost, dydi'r Eglwys yng Nghymru ddim yn caniatáu marmor gwyn. Dydi'r teulu ddim yn derbyn y ffaith er bod y rheithor wedi gwrthod eu cais. Ddoi di efo fi i weld y teulu a cheisio datrys y sefyllfa?' Roedd amgylchiadau marwolaeth y mab yn drist iawn, ac fe aethom ein dau i weld y teulu.

Doedd dim newid meddwl i fod a rhaid oedd cael beddfaen gwyn a dau angel wedi'u cerfio arno fel roedd aelodau eraill o'r teulu wedi'u cael mewn mynwentydd nad oedd yn fynwentydd eglwys. Roedd yn anodd iawn delio efo dagrau'r fam, siomedigaeth y teulu a'u penderfyniad o gael cofeb o farmor gwyn ar y bedd.

Awgrymais mai'r unig beth y gallasem ei wneud oedd paratoi'r hyn a alwai'r Eglwys yng Nghymru yn *Faculty* a gwneud cais i Gaerdydd ar y sail fod yr amgylchiadau a'r sefyllfa'n gwbl unigryw. Gofynnodd y fam imi a fuaswn yn barod i wneud hyn ac yn wyneb y sefyllfa ni allwn wrthod, ac fe wnes. Gwrthodwyd y cais hwn hefyd ac fe eglurais i'r teulu nad oedd mwy y gallasem ei wneud. Roedd eu siom a'u dagrau'n dorcalonnus.

Mewn rhyw fis daeth y ferch ar y ffôn yn gofyn a fuaswn yn barod i fynd i'r achos llys efo nhw. 'Llys?' gofynnais. 'Ie,' meddai. 'Rydym am fynd â'r Eglwys i'r llys ynglŷn â'i gwrthodiad.' Cymerais yn ganiataol mai'r hyn a ddymunent i mi ei wneud oedd bod yn dyst o'r camau a gymerwyd ac egluro am ansawdd a pharhad marmor gwyn fel beddfaen, a chytunais. Dywedodd wrthyf beth oedd dyddiad yr achos llys.

Ymhen rhyw ddeufis, derbyniais becyn anferth o ddogfennau gan Esgobaeth Bangor. Roedd hyn dair wythnos cyn dyddiad yr achos. Pan gysylltais â'r esgobaeth, eglurwyd wrthyf fod y teulu wedi gwneud cais am i mi fel lleygwr eu cynrychioli a chyflwyno'u hachos. Roedd gan yr Eglwys fargyfreithiwr. Eglurodd yr esgobaeth fod yr amser yn rhy fyr i newid hyn. Mewn braw, es i weld y teulu ac egluro wrthynt na allwn wneud y fath beth ac y buaswn yn siŵr o'u siomi. Ond doedd dim gwrthod i fod ac unwaith eto roedd eu dagrau'n meddalu fy nghalon. Treuliais nosweithiau a phenwythnosau'r tair wythnos yn paratoi'r achos, yn siarad â thystion ac ati.

Y Barnwr David Davies, Cymro Cymraeg, a oedd yn gwrando'r achos ac ar y dechrau gwnes gais i gael yr achos yn Gymraeg. Eglurodd ochor yr Eglwys nad oedd cyfieithydd, ac ar gais y barnwr, yn anfodlon cytunais i'w gael yn Saesneg. Cyflwynais fy achos a galw'r tystion. Roedd bargyfreithiwr yr eglwys yn croesholi'n eithaf caled ond dyna oedd ei ddyletswydd.

Wedi i'n hachos ni orffen, cyflwynodd yr Eglwys ei hachos a galw sawl tyst ac roedd cyfle i minnau groesholi,

Aelwyd Llanbryn-mair yn dathlu'i phen-blwydd yn 25 oed.
R. E. Griffith, Cyfarwyddwr yr Urdd ac Elwyn a Nest Davies, arweinyddion yn eistedd yn y blaen.

Yn dilyn cwrs yng
Ngholeg Arlunio
Amwythig
ym 1957.

Fy nhad yng
Nghadair Eisteddfod
Llydaw.

Gyda rhai o'i gadeiriau.

Criw o Faldwyn ar daith ganŵ yr Urdd ar afon Tarn yn Ffrainc
ddechrau'r 60au.

Plac llechfaen a gerfiais ar gynllun y 'Book of Kells'
i arholiad y 'City and Guild'.

Y diwrnod mawr ym 1966.

Y plant – Rhys a Nia.

Fy ŵyr Rhun Bleddyn yn ennill Tlws Llenyddiaeth Ieuenctid
Eisteddfod Powys, Dyffryn Tanat yn 2011.

Ar ôl fy nghadeirio yn Eisteddfod Pantyfedwen, Pontrhydfendigaid 2010.

Yng ngwisg y Derwydd Gweinyddol yn 2011.
Yr wyrion a'r wyresau hefo mi.

Cyhoeddi Eisteddfod Powys, Bro Ddyfi 2012.

Coroni Pryderi, fy mab yng nghyfraith
yn Eisteddfod Powys, Dyffryn Tanat 2011.

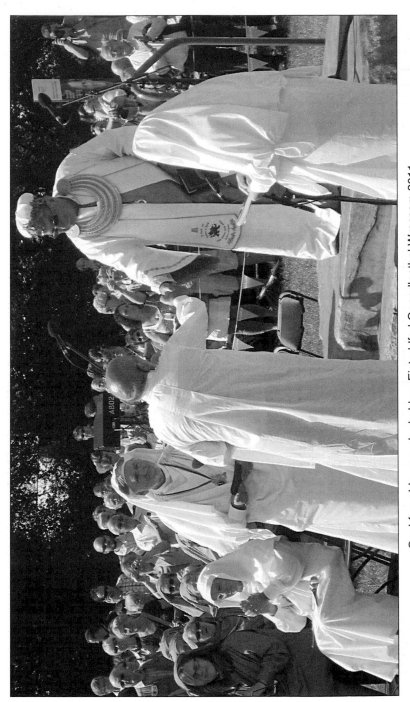

Cael fy urddo er anrhydedd yn Eisteddfod Genedlaethol Wrecsam 2011.

Hefo Twm Elias ddiwrnod ein hurddo.

Cadeirydd Cyngor Maldwyn 1992-1995.

Fy nghadeirio yn Eisteddfod Powys, Bro Ddyfi 2012. Wrth fy ochor mae'r Derwydd Gweinyddol, Marlis Ogwen.

Cynnal sesiwn ym Mhabell Lên Eisteddfod Bro Morgannwg 2012.

pe dymunwn. Ymhlith y tystion galwyd warden yr eglwys lle roedd y bedd – Major â chlamp o enw dwbl baril. Roedd ei agwedd awdurdodol yn fy nghynhyrfu a phenderfynais ei groesholi. Gofynnais iddo gadarnhau fy rhagdybiaeth oddi wrth ei deitl ei fod yn ŵr o gefndir milwrol, a chytunodd. Gofynnais iddo a oeddwn i'n iawn wrth ddweud mai beddfeini gwyn oedd y Weinyddiaeth Amddiffyn wedi'u rhoi ar feddau'r miloedd lawer o filwyr a gollodd eu bywyd yn y ddau Ryfel Byd. Cytunodd. Gofynnais a oedd y Weinyddiaeth Amddiffyn wedi rhoi beddfeini israddol ar feddau'r rhai a oedd wedi rhoi eu bywydau tros Brydain? Aeth ar goll yn lân. Dywedais nad oedd gennyf ragor o gwestiynau am nad oeddwn am achosi mwy o embaras i'r Major.

Yn nes ymlaen galwyd yr esgob, ac yn ystod ei dystiolaeth dywedodd fod y gofeb dan sylw yn groes i holl ddaliadau'r ffydd Gristnogol. Wedi iddo gwblhau ei dystiolaeth gofynnais iddo ymhelaethu ar y gosodiad hwn. Eglurodd mai'r hyn oedd y teulu yma'n ei wneud oedd creu *shrine* a oedd yn cyfleu fod eu mab yno yn y bedd ac nid yn y nefoedd yn unol â'r gred Gristnogol. Eglurais mai dyna, yn fy nhyb i, oedd y Pharoaid yn yr Aifft yn ei wneud ac mai llewod a sffinks oedd yn gerfiedig ar y pyramidiau; ar y gofeb hon dau angel sy'n gerfiedig fel yr hyn oedd wrth fedd gwag Crist. Ni thybiais erioed y buaswn wedi gallu rhoi esgob yn y fath sefyllfa.

Gohiriodd y barnwr yr achos am hanner awr i gael gair efo fi. Eglurodd wrthyf ein bod yn ennill yr achos ond nad oedd yn hapus efo un cymal ar y gofeb. Cefais air â'r teulu, cytunwyd i newid y geiriad a chaniatawyd gosod y gofeb a ddymunai'r teulu ar y bedd.

Daeth yr esgob ataf i ysgwyd llaw ar y diwedd, gyda gwên ar ei wyneb, a dywedodd fy mod yn y swydd anghywir!

II. Priodi a Magu Teulu

Yn nechrau'r chwedegau daeth Marian, merch o Gwm-ystwyth, i weithio ym manc y Nat West ym Machynlleth. Dyma'r banc yr oeddwn i'n bancio ynddo ac roeddwn wedi ei gweld yno sawl tro ac yna cael sgwrs â hi mewn dawns yn Nolgellau a'i chwrdd wedyn mewn dawns ym Machynlleth, a dyna gychwyn rhyw gysylltiad rhyngom a oedd yn fwy o gyfeillgarwch na charwriaeth. Maen nhw'n dweud nad oes llong yn croesi'r môr heb storm, a rhywbeth felly fu'r berthynas rhyngom am flwyddyn neu ddwy gan ein bod ni, hogiau Bro Ddyfi, yn dipyn o fois am fflyrtio ar y pryd. Profwch bopeth ond dewiswch yr hyn sydd dda, mae'n debyg, oedd ein harwyddair ar y pryd. Achosodd hyn sawl helynt rhyngof a Marian; bu gorffen ac ail-gwrdd sawl tro, ond yn ôl at ein gilydd y deuem yn ddi-ffael.

Yn Ionawr 1966, ar ben-blwydd Marian, bu i ni ddyweddïo gyda'r bwriad o briodi'r flwyddyn ganlynol. Ar y dydd Mercher wedi'r dyweddïad roeddwn yn swyddfa Henry Evans, y cyfreithiwr, ynglŷn â rhyw gofeb, ac ef oedd clerc Cyngor Gwledig Machynlleth.

'Clywed eich bod chi a Marian wedi dyweddïo,' meddai Henry Evans. 'Pryd ydech chi am briodi? Atebais, 'Y flwyddyn nesaf os medrwn gael safle i adeiladu.' 'Beth am un o dai cyngor newydd Llanbryn-mair? Mae yna 16 yn cael eu hadeiladu a bydd un o'r rhai olaf yn agosáu at y flwyddyn nesaf. Cerwch â ffurflen a siaradwch â Marian,' meddai.

Gwelais Marian yn ystod ei hawr ginio, a chytunwyd i lenwi'r ffurflen ar y pryd a Marian yn ei rhoi yn ôl yn y swyddfa wrth fynd yn ôl i'r banc.

Am hanner awr wedi tri'r diwrnod hwnnw gwelais ein cynghorydd lleol ar stryd Machynlleth ac meddai, 'Llongyfarchiadau i ti.' 'O, ar ddyweddïo?' meddwn innau. Atebodd, 'Ie, ac ar gael tŷ yn Llanbryn-mair.' Roedd cyfarfod wedi bod y prynhawn hwnnw a ninnau wedi cael un o'r tai cyntaf oedd i gael eu hadeiladu. Trueni na fyddai felly i'n pobl ifanc heddiw.

Penderfynwyd priodi ar 26 Mawrth 1966, yng Nghapel Afan, Llanafan; Marian yn gwneud y trefniadau priodas a'r ddau ohonom yn trefnu i gael y tŷ cyngor, rhif 3, Glanclegyr, Llanbryn-mair yn barod.

Ym mis Chwefror cafodd Marian brynhawn i ffwrdd o'r banc a'r ddau ohonom yn mynd i siop Pryce Jones, y Drenewydd, a chael yr holl ddodrefn i'r tŷ yno – dim byd arbennig ond pethau digon derbyniol a chyfanswm y gost yn £347. Archebu'r carpedi o'r *Exchange and Mart*, cwmni o'r enw Springwell Mills, a'r rheini'n cyrraedd yn rholiau ar y trên i orsaf Llanbryn-mair. Tegwyn a minnau ynghyd â rhai o fechgyn yr Aelwyd yn eu gosod yn y tŷ. Cyfanswm y carpedi oedd £110.

Erbyn canol mis Mawrth roedd trefniadau'r briodas a'r tŷ yn barod. Cafwyd noson *stag* i'r bechgyn yn y Star Inn, Dylife ac rwy'n cofio dechrau'r noson yn iawn.

Tegwyn y gwas priodas a minnau'n penderfynu mynd i lawr y noson cyn y briodas ac aros yn sir Aberteifi. Cafodd tad Marian le inni yn y Cross Inn, Ffair-rhos, tafarn a oedd yn enwog ar y pryd am y beirdd oedd yn cwrdd yno. Wedi i ni gyrraedd mynnai Mrs Lewis, gwraig y dafarn, ein cadw ar ein pen ein hunain mewn ystafell gefn 'rhag ofn i'r hen fechgyn Llanbryn-mair yna ddod ar eich ôl chi'. A dyma lle roeddem ein dau yn bur unig yno. Cloch yn seinio, Mrs Lewis yn galw 'Amser', y bar yn cau, pawb yn mynd allan trwy ddrws y ffrynt ac yn dod yn ôl i mewn trwy'r drws cefn a dyna gychwyn ar barti *stag* arall. Roedd hi wedi paratoi bwyd a phopeth. Oedd, roedd hi'n noson fawr iawn.

Bore drannoeth paratoi i fynd i'r briodas, Mrs Lewis fel mam yn gofalu fod y ddau ohonom yn ddestlus ac yn edrych ar ein gorau. Rhyw ganllath o'r capel dyma Tegwyn yn stopio'r car ac yn gofyn yn ddifrifol, 'Wyt ti'n siŵr dy fod eisiau mynd ymlaen?' Wel, dyna a wnaed. Cyrraedd y capel a dod o hyd i gerbyd y gwaith beddfeini yn Llanbryn-mair wedi'i barcio heb yr un allwedd ynddo ar iard y capel, yn union wrth y drws. Oedd, roedd 'hen fechgyn Llanbryn-mair' wedi bod o gwmpas y noson cynt. Wel am helynt a gawsom i wthio'r fan oddi yno a'i pharcio nes draw ar ochor y ffordd.

Wedi'r briodas cafwyd y wledd briodas yng Ngwesty'r Talbot yn Aberystwyth a phopeth yn mynd yn dda iawn. Yna tua pedwar o'r gloch daeth Tegwyn â'i gar at y drws i'n cludo ni'n dau i Westy Pantyfedwen yn y Borth, lle roedd fy nghar i wedi'i guddio yn barod i ni fynd ar ein mis mêl. Y gwesteion wrth y drws yn ffarwelio â ni, Marian yn mynd i mewn i gar Tegwyn a chyn i mi gael cyfle i'w dilyn dyma Tegwyn yn gyrru i ffwrdd a'm gadael i ar ôl efo'r gwesteion. Aeth o amgylch y dref cyn dod yn ôl i fy moyn i. Cymeriad direidus fel yna ydi o.

Aros yng Nghaernarfon y noson honno, ac yna'r ail noson yn Lerpwl. Dau wely sengl, Marian yn eiddgar i'w gwthio at ei gilydd. Mae'n syndod fel y mae'r blynyddoedd yn altro rhywun, yn tydi? Siopa pethau mân i'r tŷ yn siop Lewis's ddydd Llun ac yna ymlaen am yr Alban oedd y syniad, aros nos Lun yn swydd Gaerhirfryn, a dydd Mawrth fy nhad yn ffonio, eisiau i ni ddod adref am fod prysurdeb yn y gwaith, a dyna a wnaed. Bydd Marian yn dal i ddannod hynny weithiau'n gellweirus.

Dydd Mercher cyrraedd yn ôl adref i rif 3, Glanclegyr. Hywel a Mary yn rhif 1, Emyr a Dyfi yn rhif 2 – tri chwpwl ifanc a oedd newydd briodi wedi ymgartrefu'n lleol, ac yn rhif 4 Iori, Madge a'r teulu. Hyfryd iawn oedd y cyfnod hwnnw.

Yn 1967 roedd Eirlys, chwaer Marian, a'i phriod Meirion a oedd yn byw yng Ngoginan, a ninnau, yn ystyried adeiladu bynglo. Roedd gan Eirlys a Meirion safle i adeiladu yng Ngoginan, a ninnau ar y pryd yn chwilio am safle yn Llanbryn-mair. Meddyliem am gornel cae wrth yr orsaf a oedd yn perthyn i fferm Pen-y-bont ond gwyddwn nad oedd Alford Owen, Pen-y-bont, am werthu tir o gwbl. Sut bynnag, roedd yn werth gofyn ac fe es i Ben-y-bont un noson a gofyn i Alford a wnâi ystyried gwerthu darn o dir i mi adeiladu arno. Edrychodd arnaf am sbel ac meddai, 'Os wyt ti eisiau adeiladu tŷ yn dy fro enedigol sut y galla i dy wrthod? Ble wyt ti eisiau adeiladu?' Eglurais wrtho lle roedd gennym dan sylw, ac meddai, 'Rwyt ti'n mynd â darn o un o'r caeau gorau sydd gen i. Beth am ochor arall y ffordd?' Roeddwn yn blês iawn o gael safle a chytunais. Buom yn siarad am bopeth am awr neu ddwy a chyn i mi adael dyma Alford yn dweud, 'Os codi di dy dŷ lle rydw i wedi'i ddweud mi fyddi di'n meddwl tra byddi di mai'r ochor arall oeddet ti eisiau iddo fo fod ond fy mod i'n anfodlon. Rho fo lle roeddet ti eisiau.' Mewn llawenydd a syndod diolchais iddo a throi am adref.

Roedd Marian hefyd yn falch iawn a gofynnodd faint oedd o eisiau am y safle? Roeddwn wedi anghofio gofyn hynny. Bore drannoeth es yn ôl i Ben-y-bont i ofyn beth oedd y pris ac meddai Alford, 'Maen nhw'n dweud mai £300 ydi pris safle y dyddiau yma ond i ti, yn berson ifanc a lleol, tyrd â £100 amdano.' Gŵr gofalus o'r geiniog oedd Alford Owen ond dyna pryd y sylweddolais ei fod yr un mor ofalus o'i fro a'i phobol ifanc hefyd. Ble mae pobol fel hyn heddiw?

Cafwyd caniatâd cynllunio yn eithaf didrafferth a ninnau'n barod i fwrw ymlaen. Roedd Eirlys a Meirion a ninnau'n ffansïo bynglos Woolaway a oedd yn cael eu codi gan gwmni o Taunton yn Nyfnaint. Efo'r prinder arian ar y pryd y pris oedd y ffactor bwysicaf – £2,497, a chysylltu'r gwasanaethau yn ychwanegol at hynny. Aeth y pedwar ohonom mewn *camper van* i Taunton i weld cwmni Woolaway a rhoi archeb am ddau fynglo. Fe'u hadeiladwyd, a thua Hydref 1967 roeddem yn symud i mewn.

Erbyn hyn roedd Rhys y mab wedi'i eni ac yn rhai misoedd oed. Ar y diwrnod y symudom o Lanclegyr i Peniarth daeth Arthur Plume, cyfaill a oedd yn dad i bedwar o blant, â choed i'w plannu ger y bynglo. Syniad da, ond diwrnod eithaf anffodus yng nghanol yr holl brysurdeb. A minnau allan efo Arthur daeth Marian atom yn bryderus ac meddai, 'Mae Rhys wedi llyncu darn bach o bapur. Be wna i?' Ac meddai Arthur, 'Pan fydd gennych bedwar o blant, Marian, fyddwch chi ddim yn poeni os bydd o wedi llyncu'r *Cambrian News*.'

Pedair blynedd yn ddiweddarach ganwyd Nia a bu'r ddau yn Ysgol Llanbryn-mair ac Ysgol Bro Ddyfi ym Machynlleth. Oddi yno aeth Rhys i Goleg y Drindod Caerfyrddin a graddio. Yna cychwynnodd ar yrfa fel actor a dyna fu ei alwedigaeth am tua deng mlynedd. Yn ystod y cyfnod hwn priododd â Bethan, merch o Lantwymyn, a phrynu Ysgoldy Talerddig ym mhlwyf Llanbryn-mair a'i addasu'n dŷ. Ganwyd iddynt dri o blant – Lleu, Rhun ac Aur. Erbyn hyn mae Rhys yn rhedeg y busnes teuluol o wneud beddfeini a Bethan yn brifathrawes yn Ysgol Dyffryn Trannon, Trefeglwys. Maent yn byw ym Mrynmeini, yr hen gartref yn Llanbryn-mair.

Wedi gadael yr ysgol aeth Nia i Brifysgol Bangor, lle y graddiodd. Priododd â Pryderi, hogyn o Fangor, a chodi tŷ yng Nglantwymyn ac mae ganddynt ddwy ferch, Non ac Efa. Mae Nia'n ddirprwy yn Ysgol Gynradd Llanfair Caereinion a Pryderi yn dysgu yn Adran Gymraeg yr ysgol uwchradd yno.

Yn naturiol, mae Marian a minnau wrth ein bodd fod y ddau deulu yma ym Mro Ddyfi ac mae taid a mam-gu'n gwirioni ar yr wyrion. Pan oedd Rhys a Nia'n fach, oherwydd prysurdeb a galwadau busnes, roedd yna brinder amser ac arian. Bellach efo'r pum ŵyr mae'r amser a'r modd i'w mwynhau, a dyna a wnawn i'r eithaf.

12. Y Cyngor

Yn y chwedegau a'r saithdegau byddai cryn drafod rhwng criw ohonom yn Llanbryn-mair am y newid oedd yn digwydd yn ein cymuned. Byddai'r trafod yma yn aml iawn yn yr ystafell snwcer a oedd yn yr hen neuadd bentref. Trafod hollol answyddogol oedd hwn ond roedd yn amlwg fod y mewnlifiad a'r newid a ddôi yn ei sgil yn achos pryder mawr.

Yn 1967, fel y cyfeiriais eisoes, roeddem ni'n symud o rif 3 Glanclegyr i Beniarth, y bynglo a godwyd wrth ymyl yr orsaf yn Llanbryn-mair. Roedd yr orsaf wedi cau ryw flwyddyn ynghynt, diolch i Dr Beeching, ond roedd Reg Fryer, yr hen orsaf-feistr a ymddeolodd pan gaeodd yr orsaf, yn dal i fyw yn nhŷ'r orsaf wrth iddo aros i'w dŷ newydd yng Ngheri, ger y Drenewydd, gael ei adeiladu. Yna byddai ef a'i briod, Mary, yn symud yno i fyw yn ei fro enedigol.

Roedd Reg Fryer, fel pob dyn rheilffordd yn fy mhrofiad i, yn arddwr da iawn ac fe gymerodd ddiddordeb mawr mewn rhoi help llaw i mi i geisio cael trefn o amgylch y bynglo, a minnau'n hynod falch o'i ddiddordeb a'i garedigrwydd. Byddai'n dod bob nos i'm helpu ac yn dod â phlanhigion hefyd o'i ardd ef i'w plannu yn fy ngardd i.

Un noson dywedodd wrthyf na fyddai'n dod y noson ganlynol am fod cyfarfod cyhoeddus y Cyngor Plwy yn y neuadd. Ni chlywais erioed am y fath beth a holais fwy. Cyfarfod blynyddol ydoedd lle y gallai unrhyw drethdalwr fynd yno i drafod unrhyw fater yn ymwneud â'r Cyngor. 'Oes yna lawer yn mynd iddo?' gofynnais. Eglurodd nad oedd neb yn mynd ond y fo a theimlai ei bod yn ddyletswydd arno i fynd. Awgrymais y buaswn yn mynd efo fo ac roedd yn falch iawn.

Drannoeth gwelais Arthur Plume a soniais wrtho am hyn ac roedd yntau am ddod efo ni. Daeth Arthur i'n tŷ ni tua saith o'r gloch ac fe gerddon ni am y neuadd gan alw heibio i Reg ar y ffordd. Wrth dai Dôl-y-bont roedd William John a John Tŷ Pella'n cael sgwrs ac wedi i ni egluro ble roeddem yn mynd, dyma'r ddau yn ymuno â ni. Roedd pump ohonom erbyn hyn.

Wedi i ni gyrraedd y neuadd dim ond pedwar o'r cynghorwyr oedd yno. Dim cworwm, dim digon i gynnal y cyfarfod a phum trethdalwr yn bresennol. Panig. Aeth dau o'r cynghorwyr o gwmpas yn eu ceir i gael mwy o aelodau. Yn y diwedd daeth tua wyth ynghyd, er bod yna dri ar ddeg o aelodau ar y Cyngor.

Wedi darllen y cofnodion a'u derbyn a'r Cadeirydd yn ymddangos yn bur bryderus, dyma fo'n dweud, 'Mae'n rhaid i mi ofyn i'r *spectators* adael rŵan. Mae gennym faterion preifat Cyngor Plwyf i'w trafod.' Ac fe gerddodd y pump ohonom allan.

Yn yr ystafell snwcer y noson honno, cafwyd trafodaeth hir am y sefyllfa a phenderfynu bod yn rhaid cael newid. Aeth Arthur Plume i swyddfa'r Cyngor Dosbarth ym Machynlleth drannoeth a chael gwybod fod dwy ward ym mhlwyf Llanbryn-mair, chwe chynghorydd o'r ward uchaf a saith o'r ward isaf yn gwneud cyfanswm o dri ar ddeg.

Ond yr wybodaeth ychwanegol a gafodd oedd yn syfrdanol. Nid oedd etholiad wedi bod yn y ward uchaf er 1911, a dim un yn y ward isaf er 1948. Un aelod yn unig o'r Cyngor Plwy oedd wedi sefyll etholiad; roedd y gweddill i gyd wedi'u cyfethol.

Rhaid oedd gwneud rhywbeth a'r hyn a wnaethom oedd trefnu fod gennym dri ar ddeg o enwebiadau ifanc newydd yn barod i sefyll etholiad pan fyddai'r cyfnod yn dod i ben. Yn 1968 yr oedd yr etholiad a chyda'r hen aelodau a'r tri ar ddeg ohonom ninnau, roedd y papur balot fel darn hir o bapur tŷ bach. Y canlyniad oedd fod pedwar o'r rhai newydd wedi'u hethol er mai crafu o un bleidlais a wnes i.

Ni chawsom groeso mawr yng nghyfarfod cyntaf y Cyngor, a rhyw ddwy garfan fuom ni hyd yr etholiad nesaf pryd y cafwyd dau arall newydd i mewn. Credaf fod pawb sy'n ennill etholiad yn meddwl ei fod yn mynd i newid y byd, ond cyfyngedig iawn yw'r gallu, yn arbennig felly ar Gynghorau Plwy neu Gynghorau Bro fel y'u gelwir heddiw.

Dyma un enhgraifft o'r hyn oedd yn digwydd yn y Cyngor Plwy. Roedd yno, mi dybiaf, yng ngolwg yr hen aelodau, 'Weinidog Trafnidiaeth' fel yn y Senedd. Roli Evans, y masnachwr glo, oedd hwnnw. Pan fyddai rhywun yn codi mater ynglŷn â chyflwr y ffordd mewn unrhyw fan yn y plwyf, byddai'r Cadeirydd yn gofyn, 'Sut ydach chi'n gweld y ffordd yn y fan yna efo'r lori, Roli?' A beth bynnag oedd ateb Roli, dyna oedd y penderfyniad. Dyna un enghraifft o'r ffordd o weithredu.

Erbyn 1976 roeddem o'r farn fod yn rhaid i un ohonom sefyll etholiad am Gyngor Dosbarth Maldwyn er mwyn dangos nad mater o lenwi sedd wag oedd cynrychioli ein cymuned, er y teimlem mai annhebygol iawn oedd ennill y sedd. Rhywbeth tebyg i raffl oedd dewis pa un ohonom a fyddai'n sefyll, ac yn y diwedd penderfynwyd mai fi fyddai'n gwneud. Yr unig bryder oedd gen i oedd ofn colli'n drwm iawn. Roedd yn rhaid dechrau canfasio a phenderfynais y buaswn yn galw ym mhob tŷ, a chychwyn tua hanner awr wedi chwech gyda'r gŵr a oedd fwyaf yn erbyn pan roddodd y tri ar ddeg eu henwau ymlaen am y Cyngor Plwy yn y lle cyntaf.

Cyrhaeddais at ei ddrws yn bur ofnus tua hanner awr wedi chwech ar y noson gyntaf o ganfasio. Daeth at y drws a'm gwahodd i mewn. Cyn i mi ddweud fawr ddim, dywedodd na fyddai'n pleidleisio i mi, ond credai fod yr hyn a wnaethom wedi gwneud lles. Cefais noson ddifyr iawn a chroeso, a glasied bach o wisgi yn ei gwmni ond dim pleidlais. Roedd hi tua deg o'r gloch arnaf yn gadael. Noson lwyddiannus iawn o ran sgwrs a thrafodaeth ond nid o safbwynt ennill etholiad. Roedd yr etholiad hwn dipyn mwy annymunol na'r un etholiad arall a sefais ond er hyn, mwynheais y profiad yn fawr iawn. Colli o 17 pleidlais a wnes ond roeddwn yn ddigon bodlon.

Yn 1979 rhaid oedd rhoi cynnig arall arni. Cefais lawer mwy o groeso. Meddwl tybed a oedd yn newid gwirioneddol neu'n elfen o fwynder Maldwyn? Cefais dipyn o sioc pan ddaeth y canlyniad: tros 200 o fwyafrif. Edrychwn ymlaen at yr her a'r fraint o gynrychioli fy mro ar Gyngor Maldwyn.

Ar noson etholiad mae hi'n bandemoniwm yn eich tŷ chi, ac felly roedd hi ym Mrynmeini y noson honno; ffôn yn canu'n ddiddiwedd, pawb yn galw am lasied o win a sosej rôl. A phawb wedi fotio i mi, wrth gwrs.

Un digwyddiad a gofiaf oedd galwad ffôn y noson honno. 'Hedd sydd yna? Mrs Owen sydd yma. Newydd glywed eich bod wedi ennill y lecsiwn. Gwrandewch, roeddwn i'n arfer mynd efo'r un oedd o'ch blaen i weld fy nghyfnither yn y Trallwm. Fydda i'n gallu dod efo chi yr un fath?' 'Byddwch, byddwch, Mrs Owen, does dim problem.' 'Pryd fyddwch chi'n mynd?' 'Dydd Iau, wythnos i heddiw.' 'Faint o'r gloch fyddwch chi'n mynd?' 'Tua naw o'r gloch.' 'Mi fydda i'n barod yn disgwyl amdanoch.' Wedi dod adref o'm cyfarfod cyntaf y dydd Iau hwnnw ac yn cael swper, holodd Marian, 'Sut oedd Mrs Owen?' Roeddwn wedi anghofio mynd â hi. Es i fyny i'w chartref i ymddiheuro, a dweud fy mod yn mynd wedyn y diwrnod canlynol. Holodd faint o'r gloch a dywedais tua naw. Wrth frecwast y bore wedyn, Marian yn dweud, 'Cofia am Mrs Owen heddiw.' Fe ddaeth gyda mi, ac mi es â hi i dŷ ei chyfnither. Wedi dod adre, Marian yn gofyn wrth y bwrdd swper, 'Sut oedd Mrs Owen?' Roeddwn wedi dod adref hebddi, a bu'n rhaid i mi fynd yn ôl i'w moyn. Ddaeth hi ddim efo fi wedyn.

Wedi'r etholiad cefais alwad ffôn gan rywun yn Aberriw, Sais yn dweud ei fod yntau wedi ennill sedd ar y Cyngor ac yn edrych ymlaen at gael cydweithio. Trefnwyd y buasem yn cwrdd yn y bore cyn cyfarfod y Cyngor.

Roedd Marian wedi gofalu fy mod mewn siwt a thei yn mynd i'r cyfarfod cyntaf. Cyrhaeddais ac i mewn â mi i'r cyntedd yn bur bryderus. Roedd sawl un yno a gwelais Gymro Cymraeg roeddwn i'n rhyw led adnabod. Es ato ac meddai, 'Chi sydd o Lanbryn-mair? Fyddwch chi ddim yn bopiwlar iawn yma wedi hitio dyn da allan.' Aeth â'r gwynt i gyd o'm hwyliau.

Roedd rhywun gweddol ifanc yn cerdded yn ôl a blaen mewn jîns, crys a'i dop ar agor, *trainers* a chôt ledr dros ei ysgwydd. Meddyliais mai gyrrwr fan ydoedd, wedi dod â rhywbeth i'r swyddfa. Ymhen ychydig daeth ataf a gofyn, 'Are you from Llanbryn-mair?' 'Yes,' meddwn. 'I'm Glyn Davies from Berriew. What did that man tell you?' Dywedais wrtho ac meddai, 'He's just told me the same. We'll have to stick together and beat them.' Ie, dyna gwrdd â Glyn, ein Haelod Seneddol erbyn hyn, ac sydd hefyd yn siarad Cymraeg. Er bod ein gwleidyddiaeth mor wahanol, mae Glyn ers y diwrnod hwnnw yn ffrind arbennig i mi a *stick together* fu hi ar y Cyngor am flynyddoedd.

Yn fy nghyfarfod cyntaf un roedd mater yn ymwneud â thai cyngor yn Llanbryn-mair yn cael ei drafod ac roedd yn rhaid i mi wrthwynebu argymhelliad y Cyngor. Ar yr ochor arall i'r ddadl roedd gŵr o'r enw Ian Bainbridge, cyfreithiwr o'r Drenewydd. Roeddwn yn crynu mewn ofn. Ar ganol y ddadl dyma wraig yn agor drws y siambr a dweud, 'Coffi'. Y Cadeirydd yn rhoi saib a phawb yn mynd allan i'r cyntedd at droli i brynu paned a chacen. Daeth Ian Bainbridge a oedd yn dadlau mor huawdl yn fy erbyn ataf a mynnu ei fod ef yn prynu paned a chacen i mi, yna croesawodd fi i'r Cyngor a'm canmol am y ffordd roeddwn yn ymladd fy achos. Roedd y wers honno yn un arbennig i rywun yn cychwyn fel cynghorydd a bu gennyf barch mawr iddo fyth wedyn.

Canolbwyntiodd Glyn a minnau'n fwyaf arbennig ar gynllunio gan mai'r gwir angen oedd creu gwaith a medru cartrefu ein pobl ifanc yn ein pentrefi. Ymhen rhyw flwyddyn go lew roedd Glyn yn Gadeirydd Cynllunio a minnau'n Is-gadeirydd. Ymhen rhai blynyddoedd daeth

Glyn yn Gadeirydd y Cyngor a minnau'n Gadeirydd Cynllunio.

Yn ystod y cyfnod yma sefydlwyd nifer o weithdai ym mhentrefi Maldwyn, ac fe sefydlwyd Polisïau Cynllunio oedd yn ffafriol i'n pobl ifanc gael cartrefi. Cyngor Maldwyn oedd y cyntaf i roi'r iaith Gymraeg yn rhan o bolisi Cynllunio. Egwyddor Glyn oedd bod yn rhaid cael polisïau hyblyg i'r anghenion nad oedd angen eu torri wedyn, ond roedd yn barod i'w plygu i'r eithaf yn ôl yr angen. Ar un adeg galwyd y ddau ohonom gyda'r Cyfarwyddwr Cynllunio o flaen y Pwyllgor Seneddol Cymreig i drafod y polisïau hyn a chafwyd cefnogaeth mwyafrif yr aelodau seneddol oedd ar y pwyllgor ar y pryd.

Pleser a boddhad oedd gweithredu ar Gyngor Maldwyn ac fe gawsom lawer o hwyl hefyd. Roedd yno nifer o Gymry oedd yn ymwybodol o anghenion eu broydd. Gallwn enwi llawer ohonynt a chyfeirio at eu cyfraniadau clodwiw i ddatblygiad a dyfodol Maldwyn ar y pryd.

Un peth a'm rhyfeddai o feddwl bod Maldwyn yn ymestyn o Glawdd Offa i Fae Ceredigion, a'r gwahaniaeth ieithyddol a diwylliannol rhwng y gorllewin a'r dwyrain, oedd bod holl aelodau'r sir yn cydweithio mewn dull mor arbennig. Ai dyma beth yw Mwynder Maldwyn? Mae'n debycach mai ymwybyddiaeth o gymeriad unigryw'r sir ydoedd.

Yn nechrau'r nawdegau bu i Gyngor Maldwyn sefydlu Celtica ym Machynlleth. Roedd hyn yn rhywbeth anhygoel a allai fod wedi datblygu yn un o brif atyniadau Cymru. Gallai fod yn sylfaen economi'r cylch gan fod cymaint o Americanwyr yn hanu o linach y Celtiaid. Dof at yr hyn a ddigwyddodd iddo yn nes ymlaen.

O 1992 i 1995 bûm yn Gadeirydd y Cyngor. Bu'n gyfnod anodd iawn oherwydd penderfyniad y Llywodraeth i ad-drefnu llywodraeth leol. Nid oedd amheuaeth gennym ar y cychwyn na fyddai Maldwyn yn dal yn uned. Roedd ganddi 54,000 o boblogaeth ac roedd hyn yn agos iawn i'r model oedd ganddynt, yn uned gryno gyda record arbennig. Ond yn sydyn daeth argymhelliad fod Brycheiniog, Maesyfed a Maldwyn yn dod yn un uned a'i galw'n 'Powys'. Roedd y gwrthwynebiad bron yn unfrydol trwy Faldwyn ac nid oedd yn gwneud unrhyw synnwyr o gwbwl; chwarter Cymru yn un uned o lywodraeth leol. Ie, *lleol*, dyna'r gair. O Ystradgynlais i'r Berwyn, sut roedd yn bosibl i'r fath ddalgylch a oedd mor wahanol yn ei gymeriad o'r de i'r gogledd weithredu? Nid oedd ac nid ydyw yn ddealladwy nac yn weithredol. Dyna ddileu y tri Cyngor Dosbarth a chreu un Cyngor enfawr. Golygai hyn y byddem yn colli ein hannibyniaeth a Maldwyn a'i thraddodiadau am byth.

Fel y nesáu'r penderfyniad, deuai'n amlwg fod y syniad o Bowys yn ffefryn gan yr Aelodau Seneddol. Aeth pedwar ohonom o Gyngor Maldwyn i Lundain i lobïo'r aelodau ac ymhen rhyw ddeuddydd, sylweddoli ein bod yn debyg o golli. Daeth dau arall atom ac er mawr siom, penderfynwyd mai Powys oedd hi i fod.

Llywodraeth Geidwadol oedd mewn grym ar y pryd a John Redwood yn Ysgifennydd Gwladol Cynru, y gŵr hwnnw a welwyd yn ceisio canu 'Hen Wlad fy Nhadau' ar y teledu. Jonathan Evans oedd Aelod Seneddol Brycheiniog a Maesyfed, wedi'i hennill o fwyafrif bychan iawn, iawn. Mae'n debyg iddo ennill y sedd ar yr addewid na fyddai Brycheiniog Maesyfed yn un uned ar ei phen ei hun. A'r unig ffordd o gadw'r addewid oedd rhoi Maldwyn i mewn hefyd a'i galw'n 'Powys'. Siom aruthrol i gynghorwyr Maldwyn a'i phobl i gyd hefyd.

Yn 1995 diddymwyd Maldwyn ac euthum yn aelod o'r Cyngor Powys newydd. Teimlwn ar y pryd yr hoffwn ganolbwyntio ar addysg ac ymhen amser deuthum yn Gadeirydd Addysg.

Roedd y Cyfarwyddwr Addysg, er yn ddi-Gymraeg, yn gefnogol iawn i sefydlu ysgolion cyfrwng Cymraeg. Fel Cadeirydd, rhoddais bob cefnogaeth iddo a bu'r Pwyllgor yn gefnogol iawn hefyd. Yn y cyfnod hwn sefydlwyd dwy ysgol Gymraeg benodedig ym Mhowys, sef Ysgol y Bannau, Aberhonddu, ac Ysgol Dafydd Llwyd, y Drenewydd. Anhygoel oedd gweld y Cyfarwyddwr di-Gymraeg yn dadlau'r achos. Fe wnaed ymdrech hefyd yn y Trallwng ond gwrthodwyd y syniad yno.

Yn fuan, gwelais nad oedd dim yn gyffredin rhwng gogledd a de Powys a bod cymaint o wahaniaeth rhyngddynt fel nad oedd yn mynd i weithio fel uned o lywodraeth leol. Am fod y dalgylch mor fawr nid oedd gan yr aelodau wybodaeth am gymeriad y gwahanol ardaloedd i wneud y penderfyniadau ac, o ganlyniad, roedd y swyddogion yn dylanwadu fwyfwy ar y penderfyniadau. Cofiaf i Dafydd Wyn unwaith yng Nghyngor Maldwyn ddweud fod swyddogion Cyngor fel cymylau yn symud trwy'r awyr ac mai'r aelodau oedd yn sefydlog. Deallais ei sylw yng Nghyngor Maldwyn ond gwelais ei effaith yng Nghyngor Powys.

Lladdwyd Celtica a'i obeithion, torrwyd gwasanaethau ym mhob adran gan gynnwys ysgolion. Ni allwn ddygymod â hyn. Teimlwn hefyd fod talu cynghorwyr yn tynnu elfen bwysig o wirfoddoliaeth allan o'r swydd. Cryfder cynghorydd yw cynrychioli ei gymuned yn y Cyngor, nid cynrychioli'r Cyngor yn y gymuned.

Cefais bum mlynedd ar hugain ar Gyngor. Pleser a braint oedd cynrychioli fy mro am y mwyafrif ohonynt ond rhwystredigaeth fu un neu ddwy ar y diwedd. Yn 2004 roedd yr amser wedi dod i adael.

Ac wedi gweld yr hyn a ddigwyddodd i Gynghorau Sir Cymru, yn arbennig Cyngor Powys, rwy'n falch nad wyf yn rhan o'r fath gyfundrefn.

Pam nad yw'r Cynulliad a'r Cynghorau yn gweld yr angen am greu gwaith a hwyluso cynllunio fel bod ein pobl ifanc cynhenid Gymreig yn cael byw, gweithio a magu teuluoedd yn eu broydd i gadw'r ysgolion, yr iaith a'r diwylliant yn fyw? Credaf fod llawer o aelodau'r cyrff hyn yn mynd, ac wedi mynd, ar goll yng ngharped a moethusrwydd Neuadd y Sir a statws eu swyddi.

13. Ymddeol

Rai blynyddoedd wedi i Rhys, y mab, ddod i mewn i'r busnes, a minnau erbyn hyn yn fy chwedegau, dyma Marian a minnau'n ystyried ymddeol. Trafodwyd i ba gyfeiriad y byddem yn mynd; roedd yn amlwg y byddai'n rhaid i ni symud o Frynmeini gan fod y tŷ, i bob pwrpas, ynghlwm wrth y busnes ac mai Rhys a'i deulu a ddylai fod yn cartrefu yno.

Fy nheimlad i oedd y dylwn, wrth ymddeol o'r busnes, ymddeol hefyd o fod yn Gynghorydd Sir wedi pum mlynedd ar hugain, a hynny am dri rheswm. Yn gyntaf, roedd chwarter canrif yn gyfnod digon maith; yn ail, roeddwn wedi gweld aelodau a oedd, yn fy marn i, yn hen iawn i ddal y fath gyfrifoldeb; ac yn olaf, roedd y newid yng ngweinyddiad y Cyngor mor sylweddol ac mor aneffeithiol a'r sefyllfa o dalu cynghorwyr wedi newid yr agwedd at y swydd a'r cyfrifoldeb.

Teimlwn ers blynyddoedd nad oedd uned lywodraeth leol o faint Cyngor Powys yn weithredol am y rheswm syml ei bod yn rhy fawr. Y swyddogion oedd yn rheoli a'm cyd-gynghorwyr yn ceisio cyfiawnhau'r sefyllfa. Dylet-swydd yw bod ar Gyngor a braint yw cynrychioli eich bro a'ch sir, ac ni fedrwn oddef gweld yr hyn yr oeddem wedi'i sicrhau tros gyfnod hir yn cael ei ddileu ar argymhelliad swyddogion nad oedd ganddynt unrhyw ymroddiad at iaith, diwylliant na chymeriad y sir a'r rheini'n cael eu cefnogi gan fy nghyd-gynghorwyr. Daeth yn amser i mi fynd.

O ran tegwch â Rhys, roedd yn rhaid symud yn ddigon pell i beidio â bod â'm trwyn yn y busnes ond hefyd yn ddigon agos i roi help llaw, os byddai angen. Roedd yr un peth yn wir hefyd am y Cynghorydd Sir newydd a fyddai'n cynrychioli'r fro.

Teimlai Marian mai Machynlleth oedd y lle, a chytunwn innau. Felly dyma chwilio am dŷ yno. Fe welwyd tŷ yn y dref a oedd yn union fel tŷ o'r chwedegau, tŷ o gymeriad, a digon o dir o'i gwmpas. Byddai'n rhaid ei newid yn sylweddol ond teimlwn fod hyn yn fantais am y byddem yn y diwedd yn ei gael yn union fel y dymunem. Cytunai Marian.

Fe gynigiwyd pris cychwynnol. Er mawr syndod, bu i'r wraig oedrannus a oedd erbyn hyn mewn cartref dderbyn ein cynnig.

Bu trafod â phensaer, ond yn y pen draw, ni fedrai Marian weld y tŷ yn orffenedig ac fe achosai hyn gryn bryder iddi a bu'n rhaid i ni dynnu yn ôl o'r pryniant. Roedd hyn yn siom mawr i mi ond rhaid oedd cydnabod pryderon Marian.

Teimlai Marian mai Penegoes oedd y lle, pentref rhyw ddwy filltir o Fachynlleth ac fe brynwyd safle adeiladu yno. Eto, fel yr adeg pan oeddem yn ceisio prynu tir yn Llanbryn-mair i godi bynglo, cawsom werthwr arbennig iawn. Roedd wedi gwrthod sawl cynnig gan fewnfudwyr di-Gymraeg am nad oedd am weld ei bentref genedigol yn Seisnigeiddio ond roedd yn barod i werthu i ni, Gymry o Fro Ddyfi. Fe'i prynwyd a chafwyd caniatâd cynllunio ac fe aed i chwilio am adeiladwr. Roeddwn i o'r farn y dylem gael tŷ o ffrâm bren oherwydd yr hyn roeddwn wedi'i glywed a'i ddarllen amdanynt yn ystod fy nghyfnod fel Cadeirydd Cynllunio Maldwyn.

Cafwyd cwmni Cartrefi Dyfed o Aberystwyth i adeiladu'r bynglo, cwmni Cymreig a oedd yn arbennig o dda. Yn Nhachwedd 2003 roedd y tŷ'n barod a ninnau'n symud i mewn. Collwyd, o bosibl, tua dwy flynedd o ymddeoliad ond ta waeth, roedd Marian yn hapus ynglŷn â'n cartref newydd a'i leoliad.

Bellach caf gyfle i wneud yr hyn a fynnaf a chael pleser o fynychu Cylch Llenyddol Bro Ddyfi ym Machynlleth yn fisol a mwynhau'r cyfarfodydd. Hefyd pwyllgorau Cymrodoriaeth Eisteddfod Powys, ac ambell wyliau er nad wyf yn orhoff o wyliau. Bydd Marian yn mynd ar lawer mwy o wyliau na mi gyda'i ffrindiau, a da o beth yw hynny.

Mae gen i ffrind sydd â bwrdd pŵl yn ei dŷ a bron yn wythnosol af yno am gêm a chael digon o hwyl. Un noson, a ninnau'n cael sgwrs yn yr ystafell bŵl, cyfeiriais at fy nghyfnod yng Ngholeg Arlunio Amwythig a'm cysylltiad â Harry Everington. Roedd Glyn yntau wedi cael hyfforddiant ganddo yng Ngholeg Celf Caerfyrddin.

Fel y cyfeiriais eisoes, mae barddoniaeth wedi bod yn rhan bwysig o'm bywyd ac yn ystod y blynyddoedd diwethaf bûm yn ceisio dysgu'r cynganeddion, gan ennill ar ambell englyn yma ac acw. Ond yr uchafbwynt oedd Cadair Eisteddfod Pontrhydfendigaid yn 2010.

Cefais gais gan Wasg Carreg Gwalch i gyhoeddi llyfr yn y gyfres 'Poced Din' ac fe gyhoeddwyd y llyfr *Hiwmor Hedd* a'i lansio yn y Llew Coch, Dinas Mawddwy, yn 2005. Yn 2009, cefais gais gan Wasg Gwynedd i roi llyfr at ei gilydd yn y gyfres 'Cymêrs Cymru' ar gymeriadau Maldwyn. Daeth i fwcwl ond cefais lawer o help gan Alwyn Hughes, Llangadfan, oherwydd ei wybodaeth ef am gymeriadau gogledd Maldwyn. Lansiwyd *Cymeriadau Maldwyn* yng Nghanolfan y Banw yn Rhagfyr 2010, a chafodd dderbyniad da. Byddaf hefyd yn mynd yn aml i siarad mewn cymdeithasau ac ati. Nid yw'n rhywbeth yr wyf yn orhoff o'i wneud ond anodd yw gwrthod gan ei bod yn bwysig iawn i gadw'r gweithgareddau yma i fynd am eu bod yn rhan mor bwysig o'n diwylliant.

Er mai mewn cerrig y bûm yn gweithio gydol fy oes, ar ôl ymddeol rwyf wedi gwneud un neu ddau o bethau allan o bren, er enghraifft, cwpwrdd cornel a silff lyfrau pin, ond yr un sy'n fy mhlesio fwyaf yw'r cloc mawr a wnes o bren ywen. Boncyff coeden ywen a gefais gan Gwynn ap Gwilym pan oedd yn rheithor ym Mallwyd a ddefnyddiais, a darn o lechfaen cerfiedig yn wyneb iddo. Gwahanol iawn i'r arferol ond un gwahanol ydwyf sut bynnag.

Ie, rhywbeth felly yw ymddeoliad, ond fy mhleser mwyaf yw cael amser efo'r pum ŵyr – Lleu, Rhun, Aur, Non ac Efa. Oes, mae gen i ddigon o amser i'r rhain: roedd hwnnw'n brin pan oedd fy mhlant i'n fach.

14. Barddoni

Roedd barddoniaeth yn rhan annatod o'n haelwyd ni gartref gan fod fy nhad yn fardd ac roedd llawer yn dod ato i ddysgu adrodd. Bûm innau'n adrodd mewn eisteddfodau pan oeddwn yn ifanc.

Y ficer yn Abergynolwyn yn ystod ieuenctid fy nhad oedd Gwilym Berw, bardd nid anenwog a oedd yn hanu o Fôn ac a gladdwyd ym mynwent Llanfihangel-y-Pennant. Dyma ŵr a lwyddodd i roi holl daith ei fywyd mewn un englyn ac mae'r englyn hwnnw ar ei garreg fedd:

Ganwyd a magwyd fi ym Môn, – rhywsut
· Es trosodd i Arfon,
Ces wala byd, ces le bedd
Yma i orwedd ym Meirion.

Dyma'r gŵr a gymerodd ryw hanner dwsin o hogiau'r Aber, a 'nhad yn eu plith, i ddysgu'r cynganeddion.

Yn ystod ei oes enillodd fy nhad dri deg chwech o gadeiriau eisteddfodol ar hyd a lled Cymru. Yr adeg honno crefftwyr lleol oedd yn saernio'r cadeiriau, ac os byddai cadair yn ei blesio byddai'n parhau i gystadlu yn yr eisteddfod honno er mwyn cael pâr o gadeiriau. Roedd sawl pâr ohonynt ganddo. Hyd y gwn i, un waith yn unig y rhoddodd gynnig amdani yn y Genedlaethol, a daeth yn agos iawn at ennill y Goron ym Mhwllheli gyda'i bryddest 'Ffenestri' yn 1955, pryd y coronwyd Elerydd, cyfaill mawr i'm tad.

Soniais eisoes ei fod wedi rhoi deg ar hugain o'i gadeiriau i gapeli, eglwysi, neuaddau, ysgolion ac ati yn ei fro enedigol. Bellach rwyf wedi cael tua hanner dwsin o'r cadeiriau yma yn ôl wrth i gapeli gau ac fe lwyddais i gael cartref iddynt hyd yma.

Mae hanes diddorol iawn i un o'r cadeiriau hyn, sef cadair eisteddfod a gynhaliwyd mewn pabell yn Llanymawddwy, yn 1946, i ddathlu terfyn y rhyfel. Flynyddoedd wedi marw fy nhad, daeth John Bryn Uchaf, Llanymawddwy, heibio i'n gweithdy ac adrodd yr hanes. Y fo oedd ysgrifennydd yr eisteddfod honno yn Llanymawddwy, ac ar y nos Iau cyn yr eisteddfod cysylltodd â 'nhad ar y ffôn i ofyn a fyddai'n fodlon llywio seremoni'r cadeirio, ac fe gytunodd. Aeth i'r eisteddfod a'i gleddyf gydag ef, ac yng nghefn y llwyfan wrth ymgynnull am y seremoni, holodd fy nhad John, 'Pwy sy'n cael y gadair fel y gallaf lunio pennill i'w gyfarch?' 'Does neb yn gwybod. Dydi o ddim wedi anfon ei enw dan sêl efo'i gerdd.' 'Beth yw ei ffugenw?' gofynnodd fy nhad. 'Mae hwnnw'n rhywbeth rhyfedd iawn hefyd – rhywbeth fel baco.' 'Nid Pissaco?' 'Ie, dyna fo.' 'Y fi ydi o,' meddai nhad. Daeth y Parch. J. C. Jones o'r gynulleidfa i lywio'r seremoni ac aeth fy nhad i'r gynulleidfa ar gyfer cael ei gadeirio.

Mae gen i gof plentyn o ddyn yn dod i'n tŷ ac yn coginio swper, ond yr hyn a ddywedwyd wrthyf oedd nad gwneud swper i bobol roedd o ond gwneud swper i'r ceiliog, ac mae'n debyg fy mod yn fodlon mynd i'r gwely wedyn. Wedi marw Mam, a ninnau'n clirio'r tŷ, yng nghanol hen luniau roedd yna lun o ddyn mewn lifrai a phlentyn ar ei fraich. Ar y cefn ysgrifennwyd y geiriau 'Hedd efo Ugo Pissaco'. Daeth hyn yn ôl i'm cof. Rai misoedd yn ddiweddarach, cefais neges yn dweud fod un o gapeli Abergynolwyn yn cau ac yn gofyn imi gasglu'r gadair o'r capel. Beth oedd hi ond Cadair Llanymawddwy, 1946. Wedi ei gludo o dan y sedd roedd amlen yn cynnwys rhaglen yr eisteddfod a chopi o'r gerdd. Y testun oedd 'Yr Alltud', cerdd a luniwyd fel petai Ugo Pissaco, Eidalwr o garcharor rhyfel yn Llanbryn-mair, wedi'i hysgrifennu am ei alltudiaeth yng Nghymru.

Dod i'n tŷ ni i wneud rhyw swper sbageti yr oedd Ugo, a hwnnw, mi dybiaf, yn debyg i fwyd ieir. A dyna oedd y swper ceiliog. Mi wn erbyn hyn ar ba fferm yr oedd Ugo a phwy oedd ei ffrindiau yn Llanbryn-mair. Mae'r gadair yn cael lle anrhydeddus yng nghartref fy merch Nia a Pryderi.

Dechreuais innau rigymu yn ifanc iawn, a cheisiodd fy nhad fy nghael i ddysgu'r cynganeddion yn ifanc hefyd ond roedd pethau pwysicach ar fy meddwl yr adeg honno. Bûm hefyd mewn dosbarthiadau yng Nghwmlline efo Euros Bowen. Roedd y cyfan uwch fy mhen ac ni ddeallais fawr ddim ond fy mai i oedd hynny.

Cafwyd dosbarthiadau cynganeddion yn Llanbryn-mair o dan ofal Dafydd Wyn a chriw da yno'n wythnosol. Roeddwn yn ei ddeall ac yn cael digon o hwyl, a'i ffordd naturiol a'i dasgau yn ennyn diddordeb. Mantais arall i mi oedd bod Siôn Myrfyn, bardd lleol da iawn, yn gweithio gyda mi ar y pryd a byddem yn trafod y cynganeddion a'r tasgau wrth ein gwaith bob dydd.

Yna penderfynodd Dafydd Wyn gael ymrysonau bach rhwng pentrefi a'r diddordeb yn cynyddu bob tro. Daeth gwybodaeth fod cyfres o'r enw *Talwrn y Beirdd* yn dod ar y radio ac roedd Dafydd am i ni wneud tîm o Fro Ddyfi, sef Dafydd ei hun, Ithel Rowlands, Gwynn ap Gwilym, Gwilym Fychan, Ann Fychan a minnau. Roedd y tasgau'n cael eu dosbarthu yn ôl ein gallu – Dafydd ar yr englynion, Ithel ar y cywydd, Gwynn ar y penillion mawl a dychan, Gwilym ar yr englynion ysgafn, Ann ar y delyneg a minnau ar y limrigau a'r gân. Os oedd gen i unrhyw ddawn, y ddawn honno oedd meddwl am syniadau a oedd yn ddigon gwirion i ddal y gynulleidfa. Ymhen blynyddoedd fe adawodd Gwynn a daeth Meirwen Hughes yn ei le; yna aeth Ithel a daeth Tegwyn Jones i ymuno â ni, sef cefnder i Gwyndaf Evans, dyn y ralïo ceir; ac yna, rai blynyddoedd wedyn, daeth Elwyn Breese yn lle Meirwen. Buom fel tîm yn Talyrna o'r cychwyn hyd 2010. Erbyn hynny, doedd Dafydd ddim yn yr iechyd gorau ac nid oeddem am fynd hebddo ac yntau'n golygu cymaint i ni.

Un o gryfderau'r tîm oedd y ffordd y byddai Dafydd bob amser yn tynnu'r gorau ohonom. Cael y tasgau a'u dosbarthu; pawb yn gwneud ei dasg; cwrdd yn y Felin, cartref Gwilym ac Ann tua 8 o'r gloch ar nos Sul ac yna pawb yn darllen ei waith. Sylwadau Dafydd bron yn ddieithriad fyddai 'Ie wir, digon derbyniol. Beth am roi cynnig arall arni?' ac yna rhoi ail gynnig arni a digon tebyg fyddai'r ymateb bob tro hyd tua un o'r gloch y bore pan ddywedai Dafydd, 'Wel, dyna fo, wnawn ni ddim byd gwell dan yr amgylchiadau. Rhaid inni eu rhoi i mewn fel yna.' Erbyn hynny byddai wedi tynnu'r gorau o bawb heb ddilorni'r un ohonom.

Bûm yn aelod o dîm Maldwyn yn yr ymryson yn y Babell Lên ers blynyddoedd bellach. Dafydd Wyn, Tegwyn

Jones, Gwilym Fychan a minnau sydd yn y tîm yn awr. Y dasg o ateb llinell a ddaw i'm rhan i bob blwyddyn.

Dyma'r hyn a ddigwyddodd y tro cyntaf i mi fod yn y tîm. Roedd Marian a minnau'n eistedd yng nghynulleidfa'r Babell yn disgwyl yr ymryson a thîm Maldwyn yn cystadlu yn erbyn Ceredigion, a thîm arall nad wyf yn cofio pwy. Cyn i'r ymryson ddechrau daeth Gwilym i mewn ac amneidio arnaf i fynd allan. Mi es. 'Rhaid i ti ddod efo ni,' meddai. 'Dydi Gwynn ap Gwilym ddim wedi cyrraedd.' Dywedais na fedrwn i byth wneud y fath beth. Dafydd yn erfyn arnaf, ni fedrwn wrthod. Roeddwn yn bryderus iawn allan yng nghefn y babell a daeth Dic Jones a oedd yn nhîm Ceredigion ataf a dweud, 'Paid â phoeni, mi fyddi di'n iawn.' 'Rwy'n gwybod na fyddaf.' 'Coelia fi, mi fyddi di'n iawn.' I mewn â ni, Gerallt yn rhoi llinell i'w hateb ac allan â mi'n grynedig. Daeth stiward ataf a dweud, 'Hwnna i chi gan Dic Jones.' Roedd Dic o'r tîm arall wedi ateb fy llinell i. Gyda honno yn fy mhoced medrais ymlacio a llunio llinell fy hun. Dyna awyrgylch y cystadlu yn y Babell Lên ar ei orau.

Fel y soniais, cyhoeddais lyfr yng nghyfres llyfrau 'Poced Din' Gwasg Carreg Gwalch yn 2005 dan y teitl *Hiwmor Hedd*. Dyma rai enghreifftiau o'r caneuon a'r limrigau a wnes oddi ar hynny:

YMSON PARASIWTYDD

Mae'r llinyn wedi gwasgu
Ar le nas gallaf ddweud,
Ai gwell yw tragwyddoldeb
Na byw byth mwy heb wneud?

YMSON AR Y LLEUAD

Rwyf ar y lleuad borffor
Ar fin y mynydd hwn,
Mae'n anodd sefyll yma
Am fod y diawl yn grwn.

Y GWASANAETH IECHYD

Rhof fawl i'r Gwasanaeth Iechyd
Yma yn fy ngwâl,
Mi es yn iach am M.O.T.
Ac adre'n ôl yn sâl.

BWYD CYFLYM

"Dw'i am *takeway*," meddai Efa
Yn yr ardd. "*No way*," meddai Adda,
"Mi est â'n *spare rib* i
Heb ofyn, a hynny
Y diwrnod cyrhaeddaist ti yma."

CAMGYMERIAD

Aeth y Parch. Zacariah Jenkins
I'r fynwent i dorheulo'n noeth,
Gan gredu fod haul i'r corff cyfan
Am unwaith yn weithred ddoeth.

Penderfynodd ar le i dorheulo
Wrth fedd Mrs Shufflebottom-Jones.
Gorweddodd ar ei fol yno'n dawel
Heb fest na throwsus na thrôns.

Roedd yr organyddes wrth y festri
Yn edrych yn syn ar y llawr,
Meddyliodd y gwelai ddwy fyshrwm
A'r rheini yn fyshrwms mawr, mawr.

Y camgymeriad a wnaeth Zacariah
Oedd cysgu am bron i dair awr,
A lle cynt yr oedd croen bach tendar
Yn awr roedd pothellau mawr, mawr.

Yng Nghwrdd Diolch y flwyddyn ganlynol
Roedd diolch y Parch yn ddi-ffael
Am y gwynt, y glaw a'r eira
Ond ddim am y blincin haul.

PENNILL DYCHAN: GWYBODUSION

Os gwyddost ddigon 'chydig
I weld pen draw dy go',
Fe dybi di fod popeth
Oddi mewn i'w gwmpawd o.

LLYTHYR HWYR

Daeth llythyr i Rosgadfan,
Mae'n ffaith, yn wir i chi,
Gychwynnodd ar ei siwrnai
Ym mil naw tri deg tri.

Daeth i Gae'r Gors un bore
Ym mil dwy fil a saith,
A datgelu ei gyfrinachau
Ar ôl ei enfawr daith.

Bu'n teithio cyfandiroedd
Y bydysawd yn eu tro
A'r un Kate i'w chael yn unman
A wnâi ei dderbyn o.

Am fod ysgrifen Saunders
Yn flêr fel baglau brain,
Roedd holl bostmyn y bydysawd
I gyd dan boen a straen.

Ond gan mae ugain llinell
Yw'r cyfan gaf fi wneud,
Ni allaf fi ddweud wrthych
Beth oedd Saunders wedi'i ddweud.

Wedi ymddeol, a chael amser ar fy nwylo, treuliais lawer
ohono yn ceisio cael mwy o afael ar y cynganeddion gyda
Cerdd Dafod ac *Anghenion y Gynghanedd*, a chefais y Golofn
Wythnosol gan Twm Morys yn *Y Cymro* yn werthfawr iawn
hefyd. Ac yna, wedi i Twm gyfeirio fod rhai o'm henglynion
yn gynganeddol gywir, dyma anfon ambell un i
gystadleuaeth ac ennill ambell dro. Dyma rai o'r englynion:

BARACK OBAMA

I'w wlad roedd ei gyndadau – yn nwyddau
    Yn nydd y cadwynau;
  Heno ddaw'r du a ninnau
  Yn hedd hwn i ddydd rhyddhau?

MYNYDD

Holl diroedd y pellterau – a welir
O hel y meddyliau,
Gweld y gwir a gweld y gau,
Hanfodion a gofidiau.

RHYFEL

Un nos fu dydd y ffosydd – o wastraff,
Mor astrus y stormydd,
A dwyn ar derfyn y dydd
Alaeth, a dim cywilydd.

LAWNSIO *CRIBINION*, LLYFR DAFYDD WYN

Dafydd, fel dolydd Dyfi, – fe euraist
Dwf erwau dy gerddi,
A'n gweithred heddiw'n medi
Cynhaeaf llên d'awen di.

YR WYRION
Lleu
Allwedd ein bywyd bellach – yw cannwyll
Sy'n cynnal ein llinach;
Fflam fach wen, un amgenach
Na golud byd yw Lleu bach.

Rhun
Heno'n ein hail ŵyr ninnau – y gwelwn
Y golud a'r golau;
Un haf fydd ein gaeafau
A Rhun a'i wên i'w fawrhau.

Aur

Annwyl yw'n hwyres ninnau, – un euraidd
Sy'n Aur ein trysorau.
Ym Mai y daeth, mwy mae dau
A lodes i'n gardd flodau.

Non

Gwenau Non dyna gawn ni – yn annwyl,
Mae'i hanian yn ffresni,
Ein haul yn gyson yw hi,
Y mae hon yn em inni.

Efa

Afiaith yw bywyd Efa, – hi hawlia
Yr hwyl a'i sylwada',
Yna daw'r ymateb da'n
Goron o rym i'w geiria'.

Un bore, daeth rhaglen Eisteddfod Teulu James, Panty-
fedwen, yn y post, a theimlwn fel ceisio llunio englyn. Wedi
gweld mai testun y gadair oedd cerdd 150 o linellau ar y
testun 'Gwawr', ni fedrwn beidio â chofio'r wawr honno
pan ddarganfûm fy mam wedi'n gadael yn ei chwsg yn
ystod y nos, a hithau yn ei hwyliau y noson cynt. Rhaid
oedd ceisio rhoi'r profiad mewn cerdd er na wnes ddim
byd tebyg cyn hynny. Ymhen rhai wythnosau roedd y
gerdd yn barod. Ni soniais air wrth neb a phenderfynais ei
hanfon i'r gystadleuaeth i gael beirniadaeth arni. Y
Prifeirdd Mei Mac a Hywel Griffiths oedd y beirniaid. Rai
dyddiau cyn yr eisteddfod cefais alwad gan Ted Jones,
Ffair-rhos, i ddweud fod y gerdd wedi ennill. Teimlwn
fraw, balchder a syndod.

Yn Hydref 2011 a Hydref 2012 enillais gadair Eisteddfod

Trefeglwys. Un digwyddiad diddorol oedd i mi gael fy nghadeirio y ddau dro yn y gadair a enillodd fy nhad yn Nhrefeglwys yn 1956. Mae'r gadair honno yn Ysgol Trefeglwys ers sawl blwyddyn bellach.

Yn Hydref 2012 enillais hefyd gadair Eisteddfod Llanrhaeadr-ym-Mochnant a Chadair Eisteddfod Powys, Bro Ddyfi, ym Machynlleth. Roedd ennill honno'n brofiad llawn emosiwn gan fod fy nhad a minnau wedi bod yn Dderwydd Gweinyddol Gorsedd Powys yn ein tro. Gwn iddo fod yn uchelgais gan fy nhad i ennill Cadair Powys ond ni ddigwyddodd hynny. Testun y gystadleuaeth y llynedd oedd 'Y Gêm'. Rwy'n cynnwys y gerdd hon gan ei bod yn ein harwain yn naturiol at bennod olaf y llyfr hwn, sef 'Crefydd' a'r daliadau personol sydd gennyf yn y maes.

GÊM
(Cerdd Fuddugol Cadair Eisteddfod Powys 2012)

Ddoe
Yn ein byw er dechrau'n bod, mae 'na gêm
Mae 'na gamp a thrallod,
Hen anian brwydr hynod
A fu, sydd yn dal i fod.

Tyfodd o oes gyntefig – yn anian
Am ennill pob cynnig,
Curo'r brawd, cario i'r brig
I fod yn ddyrchafedig.

Daeth Un bach mewn cadachau
A'i her ef oedd i barhau
Yn olau fel nas gwelwyd
Yn Ei nerth, mor fawr Ei nwyd.

Bu agwedd, grym a chleddyf
Herod craff, yr Herod cryf
A welodd yng ngrym golau
Swyn y Cain, ei ddrws yn cau.

Er y Groes bu goroesi
Ergydion ei hoelion hi,
Methodd bedd gloi rhinweddau;
Ei awr Ef oedd i barhau.

Er y gwarth a'r her i gyd,
Y gorwedd yn y gweryd
Mewn oer fedd, yn ei hedd hi,
Yno dan glo y meini.

Y Bore

Yn adeg ein cyndadau – cyfnod llwm,
    Cyfnod llawn gofidiau,
    Daeth toriad i enwadau
    I'r llain hon, – awr llawenhau?

Yn enw'r Tad enwadaeth
Yno'n cau'n derfynau caeth,
A'r nod er adeg tlodi –
Yn awr wele'n capel ni!
A gweled ben bwy gilydd
Her hen ffawd yn yr un ffydd.

Codi tŵr – codi tyrau,
Wele'u hynt yn amlhau,
A chreu y gystadleuaeth
Yn nawdd Gair eu crefydd gaeth.
A hyn yn chwalu'r uniad
Yn nydd eu byw i'w Duw Dad.

Gweld eu Duw yn byw a bod
Yno rhwng meini hynod,
Salem, Bethel a Seilo
Yn eu braint fu'n rhannu bro,
Yr un daith, a'r un yw Duw,
Nodwedd enwadaeth ydyw.

Yn fydol i fodolaeth
Tŷ i Dduw yw'r tŷ a ddaeth
Yno i gloi Duwdod glân
Wrth allor heb werth allan,
A nawr y byw'n herio'i bod,
A achwyn am warth pechod.

I foliant byd rhyfela
Yn eu dydd daeth newydd da,
'Cofiwch mai rhyfel cyfiawn
Yn y Gair yw'r hyn a gawn',
A'r selog weinidogion
Aeth i hel drwy'r bregeth hon.

Hel i dranc ein holl lanciau,
Yn enw'r Gair troi i'r gau,
Galar y fam nas gwelwyd,
Maes y gad yw'r maes a gwyd,
'Achos dros ymladd drosom
Yw Gair ar Sul – gwâr yw'r Somme.'

Y Prynhawn
Nefolaidd fyd cyfalaf
A'i bres dry yn dywydd braf;
Gweld ein byd o hyd yn haf
I hau a hel cynhaeaf.

Ein harwr yw yr Ewro
Yn ein byd waeth ble y bo,
A'r duw yn ein byw yw'r bunt
A'i olud, heb weld helynt.

Nid yw'n brawd a'i rawd yn rhan,
Na'i enaid yn ei hanian;
Ein gwanc i hel, hel o hyd
Yn adfer iddo'r adfyd.

Ar y Sul fe geir y saint
O afael pob digofaint,
Ar eu glin am awr o glod
I nodwedd grym eu Duwdod.
O'i olud yna cilio
I'w byd clyd r'ôl troi y clo.

Ai o barch y bu gwarchod
Duw ein byw, a Duw ein bod
Yn arwr rhwng y muriau
Yno'n dduw i un neu ddau?
Yno'n gudd ac yno'n gaeth
Yn nodwedd gêm enwadaeth.

Yr Hwyr

'For Sale' sydd ar gapeli,
Eto mae i ti a mi
Olau yng ngrym y golud.
Duw ein byw a Duw ein byd
Er y brad a'r geiriau brau
A leinw ein calonnau.

Gall grym y Groes oroesi,
Os yn awr daw'n Iesu ni
Yn rhydd drwy'n gweithgareddau'n
Heulwen haf i lawenhau.
Y parch a fydd yn gwarchod
Y dydd sydd 'fory yn dod.

Yfory

A ddaw awr sydd yn gwawrio – yn ein byw,
    Yn ein byd i ddeffro
Hud a hoen Ei alwad O'n
Ein calon? – Anodd coelio.

Heno am brofiad hynod – mae 'na fraich
    Mae 'na frawd i'n gwarchod,
Yn ein byw mae'n Iesu'n bod
A'n gobaith ddaw trwy'n gwybod.

Un her hir a wnaeth barhau – yno'i gael
    Ennill gêm trwy'r oesau;
Er y brad a'r geiriau brau
O hyd ceir cynyrfiadau.

Heno, rhaid chwalu'r meini, – i weled
Yr alwad wna loywi
Her a naws ein 'fory ni
O ennill gwyrth y geni.

Credaf mai dim ond un Eisteddfod Genedlaethol a fethais er fy ngeni. Byddwn yn mynd gyda fy rhieni yn blentyn, ac yna criw o hogiau Llanbryn-mair yn mynd a gwersylla neu gysgu mewn fan yn ein harddegau a'n hugeiniau. Cofiaf ddigwyddiad yn Eisteddfod Caernarfon yn 1959. Benthyca pabell gan Gwilym Rhys a'i briod, ffrindiau fy rhieni, a oedd yn byw yn Llangurig. Cael ein siarsio i ofalu am y babell gan ei bod yn un neilon ddrud. Un bore, a'r haul yn danbaid ar y maes gwersylla, dyma benderfynu cael sigarét cyn codi. Diflannodd y babell werthfawr ar amrantiad. Aethom i weld y bobol llety a chroeso ac fe gawsant hyd i babell arall i ni yn rhywle. Derbyniodd Gwilym Rhys y peth gyda gwên ar ei wyneb gan iddo glywed am y digwyddiad ar y radio mewn bwletin o'r eisteddfod.

Bellach, carafán ydi hi ers i Marian a minnau briodi, a'r eisteddfod a'r maes carafannau yw uchafbwyntiau'r flwyddyn i mi.

Dyma un enghraifft o ddigwyddiad ar y maes carafannau. Yng Nghaerfyrddin yn 1974 a'r plant yn fach, roedd Marian a minnau'n codi'r adlen ac roedd Rhys wedi mynd i chwilio am ffrind fel y byddai'n gwneud bob blwyddyn. Wedi cael popeth yn ei le, euthum i chwilio am Rhys a'i gael yng ngharafán Trefor a Siân o Chwilog. Dywedodd Trefor ei fod ar gychwyn i'r dref i moyn pysgod a sglodion ac mi es innau efo fo i gael rhai i ni hefyd. Cefais sgwrs ddifyr iawn efo Trefor yn y car, ac ar ôl prynu'r wledd, dychwelyd ac ymgolli cymaint yn y sgwrs nes i ni fethu sylweddoli ein bod ar y ffordd anghywir ac wedi cyrraedd Pencader.

Ers blynyddoedd bellach mae Gwilym ac Ann Fychan a Marian a minnau'n mynd â dwy garafán gyda'n gilydd a chael cymdogion difyr yn ddieithriad. Rhyw flwyddyn yn ôl roedd Eirug Salisbury ac Iwan Rhys wrth ein hymyl ac er bod ganddynt 'ddwy gogyddes' gyda nhw yn y garafán, rhaid oedd cael benthyg ein barbeciw ni. Ond roedd yn werth rhoi ei fenthyg oherwydd fe gawsom ddwy dudalen o gywydd moliant i'r barbeciw ganddynt ddiwedd yr wythnos ond gwell peidio â'i gyhoeddi.

Ni fuaswn yn dweud fy mod yn eisteddfodwr mawr gan mai anaml iawn yr af i'r pafiliwn. Y Babell Lên yw'r atyniad, mynd i wrando a gweld y pethau sy'n apelio a throi o gwmpas y Babell a stondin *Barddas* a wnaf, a sgwrsio'n ddiddiwedd. Pawb at y peth y bo ydi hi yn y Steddfod.

Rwyf wedi beirniadu Limrig y Dydd sawl tro ac unwaith y gystadleuaeth Chwe Limrig yn yr Eisteddfod ei hun.

Wedi ymddeol a chael amser i bendroni ac edrych yn ôl ar fywyd, gofynnaf yn aml, yn wyneb y sefyllfa drychinebus mae cynghorau Cymru ynddi ar hyn o bryd, a oedd yn werth rhoi chwarter canrif o wasanaeth i gymuned Llanbryn-mair, Maldwyn a Phowys, ac a yw gwasanaeth fel hyn yn cael ei werthfawrogi?

Yn sicr, roedd fy nghenhedlaeth i'n gwerthfawrogi'r sylfeini y cafodd ein bywydau ni eu hadeiladu arnynt. Does neb yn gwneud unrhyw gyfraniad er mwyn cael gwerthfawrogiad, ond mae ei dderbyn yn sicr o roi boddhad mawr. Wedi i mi ymddeol ar ôl pum mlynedd ar hugain o fod yn gynghorydd, cefais un llythyr personol gan un gŵr o Lanbryn-mair ac fe'i gwerthfawrogwn yn fawr.

Ym mis Mai 2011, cefais lythyr o swyddfa'r Eisteddfod Genedlaethol yn gofyn a fuaswn yn barod i dderbyn aelodaeth o'r Orsedd er Anrhydedd fel gwerthfawrogiad o gyfraniad i'r iaith a'r diwylliant yng nghymuned Llanbryn-mair, Maldwyn a Phowys. Sioc, balchder a syndod. Atebais yn gadarnhaol a chael fy nerbyn i'r Wisg Wen yn Eisteddfod Wrecsam. Dyna benllanw fy mywyd a deall fod y gwasanaeth mae rhywun yn ei wneud yn cael ei werthfawrogi.

15. Cymrodoriaeth Talaith a Chadair Powys

Roedd y Gymrodoriaeth hon yn un o'r pethau pwysicaf ym mywyd fy rhieni a'i phwrpas yw cynnal Eisteddfod Powys yn flynyddol a hybu'r iaith a'r diwylliant Cymreig oddi mewn i'r Dalaith.

Mae Talaith Powys yn mynd yn ôl i'r ddeuddegfed ganrif. Fe'i sefydlwyd gan y Tywysog Maredudd ap Bleddyn. Rhannwyd y dalaith yn ddwy, sef Powys Fadog a Phowys Wenwynwyn dan ofalaeth disgynyddion Maredudd ap Bleddyn fel a ganlyn:

MAREDUDD AP BLEDDYN

MADOG AP MAREDUDD	GRUFFYDD
GRUFFYDD AP MADOG	OWAIN CYFEILIOG
TALAITH POWYS FADOG	TALAITH POWYS WENWYNWYN

Mae'n debyg mai Eisteddfod yn Llys y Tywysogion oedd yr Eisteddfod o'r ddeuddegfed ganrif hyd 1820, pryd y cynhaliwyd yr eisteddfod yn y dull presennol am y tro cyntaf. Talaith yr Eisteddfod ydyw'r Dalaith Powys wreiddiol sydd, yn fras, yn cynnwys darn helaeth o sir Ddinbych, darn helaeth o sir Feirionnydd, sir Drefaldwyn yn gyfan a darn tros y ffin yn ardal Croesoswallt. Mae i'r Eisteddfod ei Gorsedd, ac er bod yn wreiddiol bedair Eisteddfod Daleithiol Orseddol yng Nghymru, Eisteddfod Talaith a Chadair Powys yw'r unig un sydd yn dal i fod.

Yn 1913 sefydlwyd y Gymrodoriaeth, corff elusennol sy'n gyfrifol am gynnal yr eisteddfod yn flynyddol a hybu'r iaith a'r diwylliant oddi mewn i'r dalaith.

Bu fy nhad yn Dderwydd Gweinyddol yr Orsedd o 1960 hyd 1963, ac yn 1963, yn Eisteddfod Powys, Llanbryn-mair y cefais i fy urddo yn aelod o'r Orsedd.

Oherwydd gobygliadau busnes, Cyngor a theulu bu'n rhaid i mi dorri allan rhai pethau tros dro gan na allwn roi'r gefnogaeth angenrheidiol iddynt ar y pryd o safbwynt amser. Roedd hyn yn ofid i mi o safbwynt y Gymrodoriaeth ac wedi ymddeol, ailafaelais yn y corff pwysig hwn.

Mewn cyfarfod cyffredinol o'r Gymrodoriaeth yn 2005 roedd angen ethol Dirprwy Dderwydd Gweinyddol a fyddai'n dod i'r swydd yn 2008. Cefais fy enwebu. Fy adwaith cyntaf oedd tynnu fy enw yn ôl, ond meddyliais y buasai fy rhieni'n anfodlon iawn a'r Gymrodoriaeth yn golygu cymaint iddynt. Cefais fy ethol ac fe'i hystyriwn hi'n fraint fawr. Yn 2008, yng Nghorwen, cefais fy urddo yn Dderwydd Gorsedd Talaith a Chadair Powys.

Erbyn hyn mae fy nhymor wedi dod i ben a Marlis Ogwen, merch o ardal Bethesda yn wreiddiol ond sy'n byw ym Maldwyn ers blynyddoedd lawer, wedi'i hurddo i'r swydd yn Nyffryn Tanat y llynedd.

Mae Eisteddfod Powys erbyn hyn yn costio tua £35,000 i'w chynnal a hyd yn hyn, mae ardaloedd yn barod i'w derbyn. Nid oes unrhyw gymhorthdal i'w gael at y gost a theimlaf yn gryf fod yr adnodd hwn yn rhy hanesyddol, yn rhy werthfawr ac yn rhy bwysig yn ein Cymru gyfoes i'w golli. Lle mae'r Cynulliad a'r Cynghorau unedol na welant werth sefydliad fel hwn?

Cawn ychydig nawdd o fyd busnes. Mae'n help mawr er mai ychydig ydyw o'r cyfanswm. Pobl ymroddedig y broydd sydd yn ei feithrin, ei hanwesu, ei chynnal ac yn wynebu'r gost enfawr. Mawr yw'r diolch iddynt.

16. Crefydd

Dyma'r fan lle mae fy nghred yn wahanol i'r arferol, ac ers ymddeol a chael amser i feddwl a myfyrio, mae fy nghred mewn Cristnogaeth yn gryfach erbyn hyn.

Mae gen i gyfaill sydd yn wyddonydd nad ydyw yn credu o gwbl. Digwyddiad gwyddonol oedd y creu yn ei dyb ef a myth a chwedl yw'r cyfan. Ond mi wn i yn ddi-amheuol na fyddai chwedl wedi goroesi dwy fil o flynyddoedd a'r holl anawsterau oni bai am rym y Creawdwr.

Cefais brofiadau hefyd ar fy nhaith a fu'n gymorth i gryfhau fy ffydd. Yn fy ugeiniau cynnar cefais y profiad o fod allan o'm corff (*out of body experience*). Ni wn am ba hyd, rhai eiliadau neu funudau o bosibl, ond bu'n brofiad o hapusrwydd diofid nad oes esboniad iddo. Gwelwn fy hun yn rhywle gan deimlo rhyw lawenydd arbennig, heb unrhyw ofid yn y byd. Bydd y profiad hwn yn fyw yn fy nghof tra byddaf. Beth a ddigwyddodd? Wn i ddim, ond gwn fod 'na le arall i ni ar ôl marw.

Bu fy nhad farw ym 1973, a mam ym 1978. Ar y ddau achlysur roedd yna Geidwad i mi bwyso ar ei ysgwydd yn ogystal â theulu a ffrindiau. Roedd yna gysur hefyd am fy mod yn gwybod i ble yr oeddynt wedi mynd.

Ni allaf ddweud a'i dychmygu pethau yr wyf, ond mae fy rhieni gyda mi yn aml iawn. Mae fy nghred, ers dyddiau plentyndod ac ieuenctid, a thrwy amryfal brofiadau bywyd, yn parhau'n ddiwyro.

Mater arall yw enwadaeth a chapeli a dyna lle rwyf yn cael anhawster. Codwyd y rhain ar y cyfan yn y bedwaredd ganrif ar bymtheg pryd yr oedd y Cymry dan ddylanwad diwygiad ac yn ysu am addysg a chael man cyfarfod. Yn anffodus, creodd enwadaeth raniadau a chystadleuaeth sydd wedi dal hyd heddiw i raddau, ac ni fedraf ddeall hyn. I mi, nid yw'r capeli a'r eglwysi erbyn hyn yn ddim namyn adeiladau hanesyddol a phensaernïol a wnaeth gyfraniad mawr yn eu dydd i ddiwylliant, iaith a chrefydd ond sydd bellach yn gofnod o'u cyfnod.

Ni fûm erioed yn gapelwr mawr ond bûm yn eu mynychu a chofiaf ambell bregeth ddirdynnol, megis yr un ar yr *Highway Code* yng Nghapel Tegid, y Bala, erstalwm. Y Parch. John Roberts, Wrecsam, oedd y pregethwr a thua cant o wersyllwyr ifanc o Lan-llyn yn bresennol. Un arall a gofiaf oedd pregeth gan Jiwbili Young ym Mhenffordd-las a phregeth gofiadwy Idwal Jones, Llanrwst, ar y radio wrth iddo siarad â Tomi Bach yn ei gornel. Ond ar y cyfan parhau â thraddodiad a gwneud yr hyn y teimlwn y dylwn ei wneud oedd mynd i'r capel i mi.

Mae gweld y geiriau 'Tŷ Dduw yw y tŷ hwn' mewn capel yn achosi pryder i mi. Y pwrpas o gael tŷ ydyw cael lle personol i encilio iddo rhag y byd a'i bethau, lle i ddiogelu eich trysorau, a chael lloches i chi eich hun a'ch teulu oddi wrth eraill. Mae Duw i mi'n bresennol ym mhob man, ei gartref ydym ni ein hunain a thrwy ein cymwynasau a'n gweithredoedd y mae yn gweithredu. Gwelaf gapeli ac eglwysi bellach sy'n ganolfannau gwych a'u drysau'n agored yn ddyddiol i lu o weithgareddau mewn cymunedau a threfydd. A hynny yn enw Cristnogaeth heb iddynt fod yn sefydliad cyfyngedig enwadol.

Mae presenoldeb person (gweinidog) mewn cymuned i ledaenu'r Gair trwy weithredoedd ac arweiniad i mi'n bwysicach na chynnal adeilad.

Cofiaf am deulu o ganolbarth Lloegr yn symud i Lanbryn-mair tua diwedd y saithdegau a'r gŵr a oedd yn beiriannydd arbennig iawn yn sefydlu busnes a oedd yn ymwneud â darnau peirianyddol. Bu'n gwneud llawer o waith i ni yn ein busnes. Roeddwn yn ymwybodol ei fod ef a'i deulu yn perthyn i un o'r crefyddau a oedd yn wahanol ac yn ddiarth iawn i ni mewn pentref gwledig traddodiadol Gymreig, er nad oedd dim yn anghyffredin yn hynny.

Un diwrnod, ac yntau wedi bod yn gwneud rhyw waith yn ein gweithdy, dywedodd ei fod am fynd yn gynnar gan ei fod eisiau llwytho'i gerbyd i fynd a rhyw bethau i Birmingham y diwrnod canlynol.

Bore drannoeth, tua naw o'r gloch, cefais alwad ffôn gan ei wraig yn dweud fod John yn wael a'i fod ar lawr y gegin. Es yno ar fy union a chael fod John druan wedi marw. Bu i ni alw'r meddyg a'r heddlu. Awgrymais i'w briod ein bod yn cau'r llenni ac yn symud i ystafell arall yn y tŷ wrth inni aros i'r meddyg a'r heddlu gyrraedd. Dywedodd hithau nad oedd angen gwneud hynny gan nad amser i fod yn drist ydoedd ond amser i lawenhau gan fod ei gŵr wedi mynd at ei Dduw a'i wobr.

Wedi cadarnhau'r farwolaeth, gofynnodd y wraig i mi fynd lawr i Ysgol Bro Ddyfi i nôl ei merch bedair ar ddeg oed adref, a gorchmynnodd nad oeddwn i ddweud dim ond y gwir wrthi am y digwyddiad. Dyna yn union a wnaed. Roedd Gillian yn eithaf dagreuol ar y ffordd adref ond wedi cwrdd â'i mam, roedd hithau hefyd yn derbyn y sefyllfa â gobaith a ffydd na welais erioed gan neb arall yn yr un sefyllfa.

Teimlaf fwyfwy wrth heneiddio fod yna bethau oddi mewn i drefn rhagluniaeth a'r creu nad ydym i fod i'w deall ond sydd yn llawer haws eu derbyn os ydym yn ymwybodol fod yna Berson ac ysgwydd yno sy'n barod i ni bwyso arno.

Rhodd gan Dduw yw bywyd ac mae genedigaeth a marwolaeth yr un mor bwysig a naturiol â'i gilydd i mi. Genedigaeth i mi yw marwolaeth i gyfnod newydd: 'Duw biau edau bywyd, A'r hawl i fesur ei hyd'. Neu os mynnwch: 'Nid bedd yw diwedd y daith, I rai wybu wir obaith.'

Ni allaf ddeall fod rhai o'r emynau mawr a genir heddiw yn addas i'r ffordd yr ydym ni'n byw. Mewn cyfnod mor fydol beth am eiriau 'Iesu, Iesu rwyt ti'n ddigon' a 'Nid wy'n gofyn bywyd moethus'? Neu mewn cyfnod lle mae ofn marwolaeth beth am 'Beth sydd i mi mwy a wnelwyf'? Hawdd yw canu emyn mewn unrhyw le neu sefyllfa heb ystyried y grym a'r nerth sydd yn y geiriau a'r neges.

Gwn mai unig wyf yn fy naliadau, ac rwyf yn derbyn hynny, ond teimlaf yn gryf iawn fod Cristnogaeth yn dal yma heddiw ond nad ydym ni, ar y cyfan, yn barod i roi cartref iddi yn ein calonnau, a hynny trwy wneud cymwynasau, cydweithio a thrwy dderbyn mae Crist dynoliaeth gyfan ydyw. Rhaid ei dderbyn Ef mewn afiaith ifanc, bywiog a chyfoes yn ein calonnau a'n cymunedau. Credaf mai trwy hyn y daw yr adfywiad. Ydy, mae O yn dal yma heddiw ac yn barod i ni ei dderbyn a phwyso arno, 'Dowch ataf fi, bawb,' a ddywedodd ac nid 'Fe ddeuaf fi atoch chwi'.

Clywais yn ddiweddar am gapel oedd yn ystyried cau a'r brif ystyriaeth oedd y sefyllfa ariannol a'r cyfalaf a fyddai'n mynd i'r Cyfundeb yng Nghaerdydd. Tybed ai cyfalaf a hunanoldeb sydd yn rheoli ein cred ni bellach? Y cwestiwn yw a oes perygl ein bod ni heddiw yma:

I gloi gwyrth ein Duwdod glân
Wrth allor heb werth allan?

*   *   *

Bellach, a minnau yn fy saithdegau, wedi ymddeol ac ar ben y dalar, daeth cyfle i roi trem yn ôl tros y gwys a adawyd gennyf fi a'm cenhedlaeth. Nid yw'n gwys mor union ag y dymunwn iddi fod o ystyried yr arweiniad a gefais ar ddechrau'r daith, ond bellach nid yw'n bosibl troi yn ôl a rhaid yw ei derbyn fel ag y mae.

Bu'n daith bleserus a gobeithiaf fod yna beth cnwd a thyfiant i'r wyrion a'r genhedlaeth sydd heddiw'n cychwyn ar y daith. Bydd y tir gryn dipyn yn fwy caregog iddynt hwy.

Gobeithiaf i chwithau fwynhau darllen yr hanes ac y bydd ambell beth yn ysgogi trafodaeth.